El club de los
caracoles
escarlatas

El club de los caracoles escarlatas

Daisy Valls

Ilustraciones de Juan José Catalán

Publicado por Eriginal Books LLC
Miami, Florida
www.eriginalbooks.com
www.eriginalbooks.net

Website de la autora: www.daisyvalls.com

Primera Edición: Diciembre 2015

ISBN-13: 978-1-61370-073-0

Para mis sobrinos
Ariel, Anna,
Carolina y Angie.
Con amor.

1. Las palomas vuelan al revés

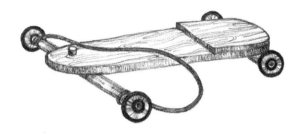

Todo comenzó cuando vendieron la única fábrica de caramelos que había en el pueblo. Ya hacía meses que había disminuido su producción, y casi no se podían ni saborear aquellas delicias envueltas en papeles transparentes, tras los cuales podía verse la carita feliz de un niño o de una niña. Con sus ojos, cejas, boca y nariz, los caramelos mostraban siempre una sonrisa por ambos lados. ¡Y qué decir de su sabor! Los de mazapán y de turrón de yema eran un manjar hecho para agradar al mejor gusto.

Se desbarataban en la boca de tan suaves. Eran realmente una ambrosía. Por eso se llamaban "Caramelos Felices". Un gran cartel en el techo de la fábrica los anunciaba:

Caramelos Felices
¡Qué gusto da sonreír!

Eso había sido desde hace mucho tiempo, cuando la gente del pueblo estaba tan orgullosa del dulzor que era llevado por el viento de árbol en árbol y de casa en casa. Antes, Maruchi, el Gran Atolondrado y yo, el Tragapalabras, pasábamos todo el tiempo pensando en los caramelos. Cuando no podíamos probarlos nos llegábamos a sentir mal y hasta nos dolía la cabeza. Por eso nos alegramos cuando se corrió el rumor de que alguien quería comprar la fábrica.

Un día se nos ocurrió la idea de pasar por allí para sentir los últimos aromas. Nos acercamos a la entrada y pudimos ver a los dueños conversando con una señora que parecía entusiasmada con los detalles y la información que les estaban dando. «¿Será la nueva dueña?», nos preguntamos. La pregunta quedó sin respuesta hasta tres semanas después en que vimos un enorme cartel, aún más grande que el de "Caramelos Felices". Pero este cartel solamente decía:

Caramelos de la Vieja

Nos pusimos muy contentos porque pensábamos que pronto tendríamos otra vez los riquísimos y muy suaves mazapanes risueños y hasta se nos estaba haciendo la boca agua, pero nuestra alegría duró poco.

Tan pronto la fábrica empezó a producir nos dimos cuenta de que ahora las cosas eran diferentes. Todo había cambiado. Y no para bien. Los caramelos seguían teniendo la misma forma redonda, pues se usaban los mismos moldes, pero ya no eran suaves. De tan duros que eran no se podían masticar, porque si te equivocabas y masticabas más fuerte de lo que se debía, los dientes saltaban, cayendo uno a uno hasta completar el racimo. Pero no solo eso: la cara de una vieja había sustituido las caritas felices de antes.

Y no es que fuera así como así la cara de una vieja, que hay viejitas lindas y muy dignas, afables, sonrientes, dulces. Pero la de estos caramelos tenía los ojos pequeñitos y hundidos, y con un brillo especial allá en el fondo de sus órbitas. El pelo largo y rizado le caía sobre la frente como si fueran hebras de estopa. En la boca alargada las comisuras parecían disimular una risa burlona y malévola. Podían contarse por decenas los pliegues sobre su nariz ganchuda. En la cara no había un espacio donde no estuvieran los surcos de sus profundas arrugas. La vieja del caramelo llevaba un sombrero negro, y toda ella era de color verde.

Al principio aquella carita nos causó asombro, pero a pesar de estos inconvenientes seguíamos comiendo los caramelos. Después empezamos a sentir rechazo por ellos, pues se nos pegaban en el cielo de la boca de una manera tan firme que ni moviendo la lengua en varias direcciones y con todas las fuerzas se nos podían despegar. Además, se nos metían entre los dientes, formando como un cemento duro que no nos dejaba masticar. Por eso los bautizamos con el nombre de "rompequijadas", pues nuestras mandíbulas nos dolían a más no decir. Ya casi no los comprábamos porque además nos daban diarreas. Y a todos los niños les estaba pasando lo mismo. Y la señora dueña de la fábrica empezó a tener pérdidas en su negocio.

Entonces en el pueblo empezaron a pasar algunas cosas extrañas.

Un día en que íbamos a la escuela muy temprano, nos dimos cuenta de que las plantas no estaban cubiertas por el rocío habitual, sino por un polvo fino y brillante que las mataba. Había que ver los girasoles, altos y elegantes, como caían tristes y abatidos. Y lo más sorprendente era que de sus pétalos salía el mismo olor de los Caramelos de la Vieja.

También sucedió algo que nos puso a pensar, pero por mucho que nos lo preguntábamos nunca alcanzamos la respuesta: Una tarde, cuando regresábamos del parque, vimos una bandada de palomas blancas que volaban hacia atrás. A su paso, las gentes del pueblo se quedaban mirando como aleladas. Esto ocurrió antes de que cayera un aguacero muy fuerte, cuando las nubes estaban casi negras y como forradas con carbón. Cuando escampó las palomas volvieron a volar como de costumbre.

Pero lo más interesante fue lo que ahora les cuento: Una mañana apareció una misteriosa escoba recostada a la puerta del fondo de la fábrica, la que da al río. Era una escoba larga, muy larga, vieja y, más que cerdas con qué barrer, tenía unas trenzas hechas con el pelo de algún animal o quizás con los pelos largos de la cola de un caballo. Pero lo misterioso en aquella escoba es que uno miraba hacia la puerta y allí estaba, pero si cambiaba la vista la escoba desaparecía. Esto llenó a la gente de preocupación, pues nadie había visto antes algo tan impresionante. Ah, y un gato negro dormía siempre, como un guardián, al lado de ella.

Estas cosas extrañas no sucedieron una sola vez, sino que de cuando en cuando se repetían en algún momento, cada cierto tiempo, como si alguien quisiera hacernos notar alguna presencia que no se veía pero se sentía, algo que actuaba pero que no podíamos ver. Así fue como desde ese entonces el pueblo comenzó a llenarse de cosas extrañas que ya todos esperaban. La gente se acostumbró a preguntar: «¿Qué de malo nos pasará hoy?».

Pero cuando los cambios se fueron

haciendo cada vez más extraños y notables, las personas fueron cambiando de actitud y empezaron a tomar precauciones. Y lo primero que hicieron fue empezar a hablar bajito para evitar que alguien a quien ellos no conocían, a quien ellos no podían ver, oyera esto o aquello. Hablaban como murmurando algún secreto, algo que no podían compartir con muchos. Y así la gente empezó a cambiar porque desconfiaban de los demás, pues no sabían en qué momento ni dónde iban a ocurrir aquellas situaciones totalmente nuevas que los llenaban de temor. Y así, sencillamente, el miedo reinó en el pueblo.

A nosotros, los tres inseparables, nada de esto nos importaba mucho hasta ese momento pero, a decir verdad, no sabíamos hasta cuándo iba a durar nuestra despreocupación.

Pronto comenzarían las vacaciones de verano y la temporada de montar chivichanas se estaba terminando. Teníamos que buscar en qué entretenernos, pues ya no sentíamos tanto placer al deslizarnos en aquel pequeño carromato construido por nosotros mismos con latas vacías de leche condensada que machacamos hasta hacer unas ruedas perfectas. También utilizamos unas tablas viejas y un pedazo de soga para tirar de ella. A tan destartalada chivichana la llamamos "Juana la Loca", pues nos había llamado mucho la atención el nombre de ese personaje que habíamos visto en un libro del abuelo,

Cuesta arriba cargada al hombro y cuesta abajo cortando a toda velocidad el viento, "Juana la Loca" nos había llevado y traído como la más hermosa y veloz de todas las carrozas. La colina había hecho eco de nuestras risas y gritos, de nuestras travesuras, pero ya se nos estaba pasando el gusto por esas carreras. Una mañana amarramos a "Juana la Loca" al tronco de la mata de mangos del patio y allí se quedó quietecita como si estuviera posando para una fotografía.

Después de haber puesto a descansar a "Juana la Loca" nos dedicamos a buscar lagartijas por el día y a recoger cocuyos y luciérnagas por las noches. A la recogida de cocuyos y luciérnagas siempre nos acompañó Maruchi, pero nunca quiso ni siquiera acercarse a las lagartijas.

Uno de aquellos anocheceres entramos a la casa del abuelo con las manos llenas de cocuyos, mientras las luciérnagas brillaban prendidas a la falda de Maruchi. Pero abuelo no nos hizo caso porque estaba como metido en la radio para no perderse ni un solo sonido. En ese momento sonó un «¡Turututú, flash, flash, último minuto! ¡Acaba de pasar algo inconcebible!».

Abuelo nos abrió los ojos así de grandes y puso su dedo índice sobre sus labios cerrados que oprimía con fuerza, pero nosotros no entendíamos. Seguimos jugando con los cocuyos que revoloteaban por toda la casa y nosotros detrás de ellos así como volando y nos reíamos y gritábamos, hasta que abuelo se molestó y se puso rojo de ira y nos mandó salir de la casa:

«Que se vayan, he dicho, que estoy oyendo las noticias. Váyanse por ahí, a recoger gusanitos para los peces de colores; vayan a buscar los caracoles escarlatas. ¡Pero déjenme escuchar el radio!».

Con voz de trueno terminó la frase.

—¿Qué noticias dijeron? —le pregunté al abuelo cuando nos quedamos solos.

—Dijeron que pronto volverán las brujas; las brujas pronto estarán aquí —me contestó.

Y como el abuelo estaba preocupado, decidimos que al día siguiente nos iríamos a jugar al parque para no molestarlo.

Para ir al parque teníamos que pasar por la fábrica de Caramelos de la Vieja. Y justo cuando pasábamos frente a la puerta principal vimos salir a una mujer que, al vernos,

se nos acercó. Era alta, elegante, y tenía el pelo muy largo. Se llamaba Teodobalda, pero como nos pareció muy petulante, presumida y vanidosa, la llamamos Teodobalda Petulancia.

—Yo soy Teodobalda, la nueva dueña de la fábrica. ¿Y ustedes quiénes son? ¡Cómo se parecen! ¿Son hermanos? —nos preguntó.

—Pues a mí me dicen el Gran Atolondrado, y le aclaro que no somos hermanos ni tampoco nos parecemos. Yo tengo el pelo negro, lacio y siempre ando despeinado; él lo tiene castaño y ella, rojizo. Mis ojos son color avellana, los de él son verdes y los de ella, azules. Vea usted que somos muy diferentes...

Después de tales aclaraciones que hicieron aparecer una pequeña mueca en la cara de Teodobalda Petulancia, yo, el Tragapalabras, me presenté, con lo que le tocaba el turno a Maruchi.

—Yo soy Maruchi la Golondrina.

—¿Y por qué les llaman así? ¿Por qué tienen esos apodos? —preguntó Teodobalda, tratando de mostrarnos simpatía.

El primero en responder fue el Atolondrado, quien le dijo:

—A mí me gusta que me llamen el Gran Atolondrado porque soy un remolino, un atolondrado... Soy el rey cambiando mangos por caramelos, el que vende los periódicos más rápidamente, el que maneja mejor la chivichana y más lasca le saca al mango. ¡Soy el príncipe de los apodos!

»Y me puse ese apodo porque la gente dice que soy tremendo, de mírame y no me toques, ¡de ponte una almohadita que te caes para atrás! Ah, y no siempre me gusta ir a la escuela... Bueno, lo cierto es que a veces he deseado que las maestras se conviertan en un chocolatico para que se derritan en el patio bajo el sol del mediodía. También he querido que les dé una fiebrecita, cualquier cosa que las haga quedarse en casa.

»Y soy muy feliz cuando la estirada directora, que más parece una tabla de planchar o un paraguas cerrado, se para frente al aula para decirnos que la maestra no vendrá, y que viene una sustituta, que nos portemos bien, y todo eso. Al final del día salimos al patio como pájaros a ganar el juego de la olla de bolas, y después nos largamos a empinar papalotes.

»Pero mi felicidad solo es redonda si Maruchi viene con nosotros, si camina a mi lado y la hago reír mientras subimos la colina».

Teodobalda Petulancia sonrió al escuchar el relato, y se disponía a aplaudir al Gran Atolondrado cuando Maruchi la interrumpió para empezar a contarle sobre su apodo:

«A mí me gusta que me llamen la Golondrina. Quizás porque la primera vez que el Tragapalabras me lo dijo me sentí un poquito extraña, y ahora cuando me lo dicen siempre siento lo mismo: "Eh, golondrina-golondrina-tú, ¿cómo estás?". Y yo sin poder responder al saludo porque andaba muy distraída tirándoles migajitas de pan a los gorriones y maíz a las gallinas y a sus pollitos... Al principio fue así, hasta que me acostumbré. ¡Cuando me acostumbré, quise echarme a volar!».

La señora Teodobalda Petulancia se quedó como si no estuviera escuchando bien, como si no se hubiera dado cuenta de que Maruchi había terminado la explicación sobre su apodo. Era evidente que a la señora Teodobalda Petulancia no la habían impresionado mucho las palabras de Maruchi: ni un solo músculo de su cara se había movido. A lo mejor no entendió nada de lo que Maruchi quería decir.

Aproveché para hablar sobre mi apodo, pues me había llegado el turno:

—Yo inventé mi propio apodo. Quería que me llamaran el Tragapalabras porque como soy gago puedo tragar letras, sílabas, palabras, tragarme páginas completas, desde la tarde en que volábamos papalotes en la colina y me lo amarré en la mano para que no se me fuera a bolina, mientras leía el periódico.

»Y estaba leyendo la historia del globo de Cantoya y me emocioné, abrí los ojos y la boca así de este tamaño, imagínese, por el asombro.

»Pero después mi asombro fue mayor, porque de pronto las letras del periódico saltaron y cayeron sobre mi lengua y se me acomodaron encima de las papilas gustativas, como dice el maestro. Y se me llenó la boca con tantas palabras, y ya no podía decir de carretillas el "aeiouelburrosabemásquetú", ni "esta boca es mía". No me quedó más remedio que tragarme todas las palabras hasta que el periódico quedó limpio, limpiecito, y yo con tremendo olor a tinta fresca.

»La gente pasaba y se detenía frente a mí. Me miraban por delante, por detrás, por los costados. Me leían como si yo fuera una valla, un cartel, una primera plana. Murmuraban, hacían comentarios en voz alta; algunos se reían de las caricaturas que quedaron en mis brazos. El gentío iba creciendo y yo sin saber por qué. Hasta que Maruchi sacó un espejito de su bolso, me lo alcanzó y pude leerme.

»Ahí fue cuando me salió un grito a pleno pulmón:

»En mi frente estaba el título de la primera plana del periódico que decía:

Debemos rescatar el olor de nuestras flores, la vida de nuestras plantas.

»Cuando terminé de gritar la gente aplaudía, chiflaba y aplaudía. Yo estaba tan feliz como el buen soldado que se pone muy contento si gana una batalla. Luego

agarré mi papalote y me fui a dar una voladita por ahí, bien alto. Hasta las nubes, donde quedaron impresas las palabras que antes
estaban en mi frente. Y allá en las nubes las
palabras se hicieron grandes, muy grandes...
Y todo el mundo pudo leerlas».

Cuando le dije la historia de mi apodo,
Teodobalda Petulancia tuvo varias reaccio-
nes:

1. Contrajo los músculos de la cara.
2. Hizo una mueca.
3. Viró los ojos en redondo.
4. Comenzó a darle saltitos la punta de
   la nariz.
5. Empezó a mover sus manos como
   un rehilete.
6. Parecía muy nerviosa.

Ella se dio cuenta de que yo la estaba
observando y que me percataba de su estado. Ante mi mirada se repuso rápidamente para disimular. En sus labios apareció entonces una sonrisa un tanto extraña.

—Vengan otro día a visitarme —nos dijo—. Les aseguro que les prepararé los caramelos más sabrosos que jamás podrían imaginar —añadió.

Y diciendo esto dio la vuelta y caminó hacia la puerta de la fábrica, no sin antes tomar con ella la escoba hecha con trenzas de cola de caballo que descansaba a un costado desde muy temprano. El gato negro echó a andar detrás de ella.

—Señora Teodobalda —le gritó el Gran Atolondrado—, ¿cómo se llama su gato?

Y ella le contestó:

—Mi gato se llama Hércules Palurdo.

Y dicho esto, la Petulancia, la escoba y el Palurdo desaparecieron.

2. El club de los caracoles escarlatas

Nuestros pasos se dirigían hacia el parque. Era una tarde hermosa. Las tardes como esa eran buenas para tomar guarapo, champola de guanábana o pulpa de tamarindo, y hacia estos sabrosos zumos nos dirigíamos.

Todo estaba en calma. El sol era muy fuerte y el calor nos envolvía. El viento jugaba entre las ramas de los árboles, se metía en las casas, levantaba las faldas a las muchachas.

De pronto comenzamos a sentir el olor desagradable de los Caramelos de la Vieja. Una inquietud nos estremecía y un frío grande recorría nuestras espaldas. Las flores se iban marchitando a nuestro paso. Empezamos a tener miedo.

Entonces Maruchi, como para espantar el miedo, empezó a cantar una canción que le gustaba mucho:

Mi gatita se durmió
sobre flores y salió
a pasear por esas nubes,
y cuando se despertó
a las nubes abrazó.
Ay, ay, ay,
mucho, mucho paseó.
Pero no supimos nunca
cuándo regresó.

Y el Gran Atolondrado inventó una rima con mi nombre:

Estaba el Tragapalabras
sentado sobre una piedra
junto a la gatita Efedra,
más loquita que una cabra.
Él decía: "Abracadabra,
yo también puedo triunfar
si me ayudas a cantar
los versos más inocentes;
si quieres que te los cuente
te lo voy a demostrar".

Pero yo no tenía ánimos para seguir la rima. El olor que desprendían las plantas y el recuerdo de la mueca y los gestos de la señora Teodobalda Petulancia me empezaron a preocupar.

Unos pajaritos pasaron volando por sobre nuestras cabezas y yo me les quedé mirando, por si podía ver en qué momento empezaban a volar para atrás. Mas eso no sucedió.

El erizamiento que desde antes sentía en mi cabeza me había parado los pelos de punta. Pero poco a poco éste fue desapareciendo. Y es que la impresión que recibimos de Teodobalda Petulancia se había convertido en algo muy serio para nosotros.

Caminamos unas cuadras más. Pensábamos que el parque iba a estar muy animado, pues era el día de la retreta que tanto gusta. Pero los bancos estaban vacíos, y la glorieta de los músicos no tenía ni una sola nota musical. Ni un alma había en el parque sino nosotros tres —Maruchi, el Atolondrado y yo, los inseparables de siempre— y el vendedor del kiosco.

—No tienen que pedirme nada, pues sé lo que quieren; ya se los sirvo —alzó él la voz en cuanto nos vio.

Y allí estábamos sentados en el banco, disfrutando nuestros zumos y la tajada de melón. Nos gustaban mucho aquellos sabores diferentes, todos refrescantes, necesarios por el calor que nos azotaba en aquella tarde de junio en que comenzábamos nuestras vacaciones de verano. Deberíamos sentirnos felices, pero no lo estábamos. Y no es que estuviéramos tristes, sino que una sombra de preocupación pasaba por nuestras cabezas.

—Hagamos un club, sí, un club de tres. Lo primero, hacer el reglamento. Lo segundo, cumplirlo. Es muy fácil —eso dijo el Gran Atolondrado en tono de broma, aunque la proposición la hacía en serio.

—¿Y para qué nos serviría un club? —preguntó Maruchi.

—Para andar siempre juntos —dijo el Gran Atolondrado en tono de broma.

—¿Qué tendríamos que hacer? ¿Cuáles serían los puntos? —preguntó Maruchi de nuevo.

—Solamente tres —dijo el Gran Atolondrado. Y añadió—: Propongo que se llame El club de los caracoles escarlatas en honor al abuelo, quien siempre los está mencionando.

Y dicho esto sacó un lápiz y un papel arrugado del bolsillo derecho de su pantalón, donde escribió:

Club de los caracoles escarlatas
Reglamento

1. Contarnos cuentos.

2. Jugar en el parque y en la colina.

3. Cuidar a "Juana la Loca".

Miembros:

El Gran Atolondrado, el Tragapalabras y Maruchi la Golondrina.

—Pues ahora mismo yo firmo —dijo Maruchi con entusiasmo.

—Y yo también —dije, pensando que hacíamos algo muy bueno. Y agregué—: Me gusta mucho ese nombre para el club, pero ¿de dónde lo has sacado?, ¿cómo se te ocurrió?

—Mi abuelo me contó que hace mucho tiempo en las tierras de por aquí había caracoles de color escarlata que se colgaban al cuello para atraer la buena suerte. Y me gusta ese nombre: ca-ra-co-les-es-car-la-tas, tan fácil de silabear, y porque es sonoro, musical. Aunque nunca los he visto puedo imaginarlos muy fácilmente: Hermosos. Por eso me gusta ese nombre para nuestro club —respondió el Atolondrado.

Los tres firmamos no sin antes discutir cada uno de los puntos pero yo propuse que no se incluyera el número 3 porque de todas maneras íbamos a cuidar la chivichana para montarla en el otoño, pues los vientos nos ayudarían a hacer unas bajadas más rápidas y emocionantes.

Por eso al final el reglamento se redujo a solo dos puntos: Contarnos cuentos y jugar en el parque y en la colina.

Desde siempre habíamos hecho eso mismo, pero ahora nos parecía que íbamos a sentir un mayor gusto al hacerlo. Seguramente, pertenecer a un club nos traería muchas aventuras. Al menos, eso creíamos.

Después de firmar el reglamento nos fuimos a la pileta donde tomaban los gorriones y nos echamos el agua en la frente, sobre la cabeza, en nuestras caras que ahora resplandecían. Ese fue el bautizo, la iniciación: el comienzo de lo que creíamos grandes aventuras y muchas, muchísimas diversiones.

Esa misma tarde comenzó a funcionar El club de los caracoles escarlatas. No solo estábamos contentos, sino hasta emocionados. Para celebrarlo, el Gran Atolondrado y yo armamos el juego de la bola. Cada uno de nosotros trataba de ganar la olla o ruedo completo. Estábamos discutiendo y ya empezábamos a acalorarnos cuando Maruchi, levantando la mano, nos preguntó qué queríamos ser cuando fuéramos grandes.

—Aviador —le dije yo.

—¿Para ver desde allá arriba toda la tierra y el mar? —me preguntó ella.

Yo le contesté que para conocer otros países, con montañas llenas de nieve. «Tarea muy especial», me interrumpió. Y después me pidió que le alcanzara un pedazo de periódico que estaba cerca de mí para hacer un barco que pondría a navegar en un charquito.

Ni el Gran Atolondrado ni Maruchi dijeron lo que querían ser cuando crecieran. Ella se quedó mirando cómo se mecía, cómo navegaba el barquito de papel lleno de noticias.

—Con lo que queda del periódico vamos a hacer un papalote —dijo el Gran Atolondrado.

—Un papalote no; un coronel —dije yo, pensando en las cometas más grandes y hermosas.

—¡Coroneles, ni los de las cometas! —dijo el Atolondrado, riéndose con malicia. Entonces colocamos nuestras manos alrededor de la boca como bocina y comenzamos a gritar, jugando a ver quién gritaba más alto:

¡Arriba la guerra de los papalotes!

¡Abajo las cometas vanidosas!

¡Abajo las brujas!

¡Abajo los coroneles! ¡Y abajo también los generales!.

Estábamos hartos de brujas y generales, por eso gritábamos con rabia, con cólera de perros. Habíamos convertido el parque en un verdadero campo de batalla, y en un combate el jefe entusiasma y da optimismo a la tropa. El Gran Atolondrado era nuestro jefe.

—Vámonos a empinar papalotes —nos propuso el Atolondrado. Aquí tengo todo lo que necesitamos para hacerlos: Hilo, papeles de colores, goma de pegar... ¡De todo! ¡Vamos!

Y los tres nos tiramos en el piso de la glorieta donde tocan los músicos los domingos y nos pusimos a preparar nuestros papalotes.

—Yo quiero hacer una cometa grande, la más grande de todas —dijo el Gran Atolondrado.

—Pues yo el papalote más hermoso, con una cola larga, muy larga; el que vuele más alto y tenga los colores más brillantes —dijo Maruchi.

Yo no dije lo que quería, pero mi papalote me estaba saliendo muy bien, con franjas de colores y todo. Cuando lo terminé comencé a empinarlo. Ya volaba en el alto azul. El de Maruchi la Golondrina no se quedaba atrás. Además del azul y del blanco de las nubes, el cielo tenía ahora nuevos colores.

—¿Hacia dónde van los papalotes? —preguntó Maruchi, mirándolos con atención.

—Hay que darles cordel —dijo como respuesta el Atolondrado. Si les das cordel no se sabe hasta dónde podrán llegar, pero llegarán muy alto y muy lejos —agregó.

—¡El viento los empuja, allá van! —añadió Maruchi.

El Atolondrado dio una orden: «¡Cordel, denle cordel a los papalotes!». Soltamos las amarras. Liberamos los hilos y los papalotes salieron de nuestras manos disparados como flechas. Y se fueron a bolina.

Estábamos alelados mirando los papalotes hasta que se hicieron un punto lejano, un punto pequeñito. Entonces el Atolondrado se paró sobre un banco y empezó a cantar una cancioncita pegajosa. Nosotros seguíamos la melodía dando palmadas y mirando hacia el cielo:

Las nubes no detienen
a nuestros meteoros
de hilo y de papel.
¡Cordel, cordel,
dale cordel!
¡Cordel y más cordel!

Cada quien atendía el vuelo de su papalote sin dejar de mirar las piruetas que hacían los demás. Estábamos extasiados, con la vista fija en los puntos que ya casi se hacían invisibles.

Pero de pronto pasó algo que nos sacó de nuestro encantamiento. Un gato negro de larga cola, ojos amarillos brillantes de mirada furiosa y colérica, pasó frente a nosotros. Se detuvo ante nuestro banco, se restregó con fuerza y luego abatió la cola contra el piso. Nos miró, nos gritó su *miauuuu* al tiempo que se estiraba, y después salió corriendo en círculos alrededor del banco de enfrente a la mayor velocidad que le permitieron sus patas. Debajo del banco se quedó, en actitud vigilante.

El gato había llegado de pronto, sin ningún ruido, sin que nosotros nos diéramos cuenta, y su presencia y conducta tan extrañas nos dio qué pensar. Pero casi inmediatamente pudimos reconocerlo: Sin

lugar a dudas se trataba de Hércules Palurdo, el gato de la señora Teodobalda Petulancia que siempre dormía al lado de la
escoba. Mas su conducta ahora no era la del
plácido sueño, sino totalmente desafiante y
provocadora. Nos quedamos como petri-
ficados. Y un escalofrío nos recorrió de pies
a cabeza.

Durante todo ese tiempo en que volábamos los papalotes en el parque nos habíamos olvidado de Teodobalda Petulancia, de
su gato negro y hasta de las feas greñas de
su escoba. También del olor que nos in-
tranquilizaba, de las flores que se morían y
de los pájaros que volaban para atrás.

Por eso el Gran Atolondrado empezó a
cantar una de sus cancioncitas:

Perritos tuvo la perra
una tarde de septiembre.
Si no fuera porque es junio,
el ratón al gato muerde.

Duerme en hamaca el buen burro
y en cama la vaca duerme;
la oveja se va a la cueva
cuando suena la trompeta
en casa de Ma Coneja.

Aunque de sobra conocíamos la cancioncita tonta lo aplaudimos con muchas ganas, porque esa canción fue la primera que cantaba como miembro del club, y nosotros ahora empezábamos a disfrutar de una forma diferente. Cuando terminamos de aplaudir paramos nuestras cabezas, aguzando los oídos. Y mientras abríamos desmesuradamente los ojos, iba presentándose lo que creíamos una visión, o mejor dicho, una aparición.

Desde lo alto del cielo, un par de figuras venía volando hacia nosotros. Eran dos brujas montadas cada una en su escoba. Bajaban poco a poco, batiendo sus capas muy lentamente, hasta que se posaron en el banco frente al nuestro debajo del cual se encontraba el gato.

Nunca antes habíamos tenido tan cerca a una bruja, mucho menos a dos. Tenían la cara verde, el pelo verde, una ropa sucia y un sombrero raído y viejo, y un olor muy fuerte. ¡Si hasta se parecían! ¡Quién sabe si eran madre e hija!

Miramos a las brujas muy fijamente; también ellas nos miraron con mucha atención pero sus miradas estaban cargadas de odio, de una rabia que no sabíamos de dónde venía ni por qué nos la hacían sentir. Sin dejar de mirarnos levantaron sus escobas con el brazo derecho como si fueran a saludarnos. Pero no fue así. Cuando ya tenían sus escobas bien en alto, comenzaron a elevarse del banco y, ya en el aire, de un salto se montaron en ellas y echaron a volar nuevamente, diciendo un «cacle-ca-cle-cacle».

Con esa aparición nos quedamos in-móviles, como si nos hubiéramos convertido en piedras. Ni siquiera podíamos despegar los labios; nos habíamos quedado mudos. Tanto fue así que no pudimos darnos cuenta de a dónde se había metido Hércules Palurdo, pero en vez de dos brujas, ahora podíamos contar tres figuras que ya casi no se veían en el cielo.

Todavía podíamos sentir ese olor extraño; un extraño olor a azufre. De pronto el cielo se nubló y comenzó a caer un aguacero fuerte. El desagradable olor comenzó a calmarse poco a poco, hasta que los granizos chocaron contra el piso del parque y el pavimento de la calle. El aguacero de esa tarde fue uno de los más grandes que habíamos visto en nuestras vidas. Y los granizos eran del tamaño de una pelota de jugar ping-pong, capaces de abrir un hueco en la cabeza más dura.

Cuando escampó volvimos a ver la claridad de la tarde y el olor a yerba fresca se nos metía por la nariz, y ese olor había desvanecido el olor dulzón y repugnante que invadió todo el pueblo desde que empezaron a fabricar los Caramelos de la Vieja.

Nuestras vidas empezaron a cambiar esa tarde en que bajaron las dos brujas y Hércules Palurdo desapareció ante nuestros ojos. También esa tarde Maruchi había llenado su falda con los primeros granizos del verano. El Gran Atolondrado se sacó el papel del bolsillo de su pantalón, lo leyó de nuevo, tachó el primer punto porque ese punto no le parecía necesario pues de nosotros el único cuentista era él, y añadió un nuevo punto al reglamento de El club de los caracoles escarlatas. Ahora el reglamento quedaba así:

Reglamento

1. Jugar en el parque.

2. Hacer un huerto en la colina.

3. Luchar contra las brujas.

No hace falta decir que Maruchi y yo, el Tragapalabras, estuvimos de acuerdo con los cambios que había hecho el Gran Atolondrado a los estatutos de nuestro club. Y que estábamos decididos a cumplirlos.

Ya nos íbamos, pero cuando pasamos frente al banco donde se habían posado las brujas vimos una sombra negra que se movía despacio, muy despacio, como se mueven los gatos.

Por el miedo que teníamos echamos a correr calle abajo.

Desde el día del encuentro con las brujas no habíamos vuelto al parque. Todavía no salíamos del asombro que nos provocaba el recuerdo de aquellas figuras extrañas. Y nos sentíamos como en un estado especial, con sensaciones totalmente nuevas y diferentes, pero con mayor fortaleza física. El haber visto a las brujas y haberlas tenido en el banco de enfrente, nos hacía no solamente sentirnos sorprendidos, sino

47

también asombrados, deslumbrados y hasta un poco alucinados. Eso estaba más allá de nuestras facultades, más allá de nuestro poder de imaginación. Haber visto a aquellas brujas aunque fuera por tan poco tiempo nos había cambiado a los tres.

Sentíamos más fuerza por detrás de nuestros ojos.

Más dureza en piernas y brazos.

Más altas y firmes nuestras voces.

En conclusión, habíamos crecido sin que tuviéramos un nuevo cumpleaños.

Por eso decidimos volver otra vez al parque. No podíamos permitir que ese recuerdo tan desagradable estuviera siempre en nuestras mentes, y mucho menos que no nos permitiera disfrutar de nuestro territorio de todos los días.

Cuando regresamos nos sentamos en nuestro banco y saboreamos una champola de guanábana. Pero de pronto el Gran Atolondrado se quedó muy serio y chasqueó sus dedos mayor y pulgar para indicarnos que se le había ocurrido una de las ideas que él consideraba brillantes. «¡Atiendan, por favor. Por favor, pongan atención!» nos gritó mientras hacía una bocina con sus manos, que colocaba alrededor de su boca. Luego, como si se tratase de un secreto, nos susurró:

—¿Saben qué? Las brujas ya están aquí, ya hicieron su primera aparición. Cuando vienen las brujas, los pájaros están en peligro, las mariposas están en peligro, las flores del parque también. Debemos prepararles un refugio, un lugar seguro donde además tengan sombra y frescura, un espacio donde puedan cantar, ser felices... ¡Y libres!

—Los pájaros estarían seguros; las palomas ya no volarían para atrás, las flores no se marchitarían —continuó Maruchi, retomando la idea del Atolondrado.

—¡Buena idea, Atolondrado! ¿Pero cómo hacerlo? ¿Qué propones? —le pregunté al Atolondrado yo, el Tragapalabras, mientras lo miraba fijamente.

—¡Una carpa! ¡Hagamos una carpa! —dijo mirándonos el Atolondrado, moviendo la cabeza lo más rápidamente que pudo. A mí la idea me gustó, pero no pude decir nada porque el Atolondrado dio un paso al frente y dijo, sin darme la oportunidad de hablar:

—¡Sí, vamos a hacer una carpa! Una carpa aquí en el parque para que los pájaros canten felices. ¡Hagamos una carpa, una carpa de sombras!

Al Atolondrado se le había iluminado la mirada. Tenía los ojos casi fuera de las órbitas.

Yo, el Tragapalabras, levanté la mano en señal de que quería hablar, y sin esperar a que me lo permitieran me salió una sarta de ideas con dudas y todo. No es que desconfiara de lo que decía el Atolondrado, pero la verdad es que no podía imaginar lo que él trataba de decirnos. Y aquí va lo más importante de todo lo que les dije:

—¿Cómo vamos a hacer una carpa de sombras para que vivan los pájaros si ellos necesitan espacio libre para volar y de la luz del sol para cantar y ser felices?

El Atolondrado no contestó, pero levantó su mano para señalar cómo se nos iban acercando varios pájaros en pleno vuelo: Una pareja de pequeños tomeguines de piquitos cortos y plumaje verde, dos sinsontes que cantaban con silbidos muy armoniosos, dos palomas torcazas con sus cuellos de colores como collares, una pareja de tórtolos de plumas grises y un montón de colibríes y gorriones. Los pájaros llegaron a nuestro banco y se metían en los amplios bolsillos del pantalón del Atolondrado, y por dentro de su camisa. Los pájaros cantaban, piaban y hacían ruidos con el batir de alas a su alrededor.

Evidentemente los pájaros mostraban un gran gozo, lo cual significaba que no solo aceptaban, sino que, alegres, aplaudían la idea del Atolondrado. Lo que los pájaros habían hecho nos fascinaba. Y el Atolondrado comenzó a decirme así:

—No te preocupes por eso, Tragapalabras, que la luz del sol entrará a la carpa por sus bordes y por sus costurones. Como en el bosque, que tiene árboles enormes pero sus ramas dejan pasar la luz con que se alimentan los de abajo, y también las yerbas rastreras...

Yo le sonreí y él continuó hablando con entusiasmo:

—Vamos a recoger todas las sombras. La sombra de los árboles, las de las casas, la de las personas y también la de los animales. Las sombras de las calles, la de los patios, y hasta la de nosotros mismos. Después las colocaremos una al lado de la otra y luego las empataremos con aguja e hilo.

Yo tuve que hacer un esfuerzo para imaginar la forma en que quedarían las sombras cuando las empatáramos. Me preocupaba que la carpa nos quedara demasiado grande, y también que fuera demasiado pequeña. Si la carpa de sombras cubriera la copa de los árboles los nidos estarían protegidos, pero los pájaros no tendría toda la libertad para volar.

—Yo no puedo imaginar cómo será una carpa de sombras —dijo Maruchi. Y luego continuó, preguntando—: Porque, ¿qué son las sombras? ¿Y si las sombras se caen como si fuera un puente o como se cae una casa? ¿Serían las sombras solo imágenes oscuras como las figurillas del teatro de sombras chinescas? Y por último, ¿cómo se podría hacer una carpa de sombras?

Todas esas preguntas hacía Maruchi, y ninguna de ellas tenía respuesta por el momento. El Gran Atolondrado le contestó:

—Yo no tengo dudas; sé de qué se trata el asunto. Y luego comentó: —Ya quiero comenzar a trabajar en el proyecto que para mí es la más genial idea de todos los tiempos. Seremos los primeros y más grandes sombreadores, los capitanes de la penumbra —añadió. Decía todo esto gesticulando y abriendo desmesuradamente los ojos, pero Maruchi y yo seguíamos como decía el abuelo: «Igualito que el pescado en tarima; con los ojos abiertos y sin ver».

—Aquí están las tijeras, una para cada uno —dijo el Atolondrado.

Y empezamos a cortar y a empatar sombras, una pegada al lado de la otra hasta que quedó un techo enorme sobre nuestras cabezas, por encima de los árboles del parque. Ahora teníamos la más hermosa de todas las penumbras. Los pájaros, confundidos, cantaban como hacen cuando amanece, muy contentos.

El Atolondrado se paró a contemplar la obra.

—Podría ser la carpa de un circo y también podría servirnos como campamento —dijo.

Maruchi añadió que le gustaría para un circo y el Atolondrado declaró que desde allí dirigiríamos todas nuestras operaciones. A mí, la verdad, lo que más me gustó fue la idea del circo, pues pensaba en los animales y en lo divertido que serían los payasos, pero sobre todo los magos.

El Atolondrado afirmó que haría falta un río porque dónde iban a tomar agua todos los animalitos que se refugiaran bajo la carpa, y levantó el dedo índice para señalar el lugar donde éste debía estar. Pero Maruchi lo miró un poco molesta y le ordenó que bajara el dedo, que ya nos encargaríamos de desviar el arroyo o de hacer que brotara uno de la fuente abandonada y seca que ni los gorriones utilizaban ya.

El Gran Atolondrado iba a contestarle a Maruchi, pero no tuvo tiempo. En ese momento entró al parque Hércules Palurdo, el gato negro de la señora Teodobalda Petulancia. Palurdo caminaba despacio, mirando

para todas partes, especialmente para arriba, donde el techo que formaban las sombras protegía a los pájaros y a sus nidos. Tenía una mirada burlona. Fue cuando pasó varias veces su lengua por el bigote, relamiéndose de gusto. De pronto, el gato comenzó a saltar; daba unos saltos enormes, hasta que alcanzó una rama y, columpiándose, trató de alcanzar un nido.

Pero el Atolondrado fue más rápido que Hércules Palurdo. Levantó su dedo índice (el mismo dedo con que minutos antes había marcado el lugar por donde debía pasar el río) para señalarlo. Y de su dedo comenzó a brotar agua como si fuera un manantial: Un chorro hermoso que fue a caer directamente sobre el lomo del gato, mojándolo todo. De más está decir que Hércules Palurdo salió corriendo a todo lo que le daban sus patas, ya se sabe que a los gatos no les gusta el agua.

Ahora éramos nosotros los que saltábamos de alegría. El gato negro había sido

derrotado con la astucia del Gran Atolondrado. Con esta escaramuza nos sentíamos
totalmente victoriosos, y decidimos dejar el
parque, que era el único lugar del pueblo
donde no se sentía el olor de los Caramelos
de la Vieja. Íbamos a tomar el aire fresco de
la colina; allí nos sentíamos completamente
libres. Allí la tierra y el cielo con sus nubes
eran nuestros; también los papalotes, que
llenaban el cielo de colores.

3. El Valle de los Estornudos

Decidimos empezar el huerto de la colina. Ahora no llevábamos en las manos nuestras flamantes cometas ni los super coloridos papalotes, que permanecían guardados en el fondo de la mochila. Ahora subíamos con palas, picos, azadones y rastrillos al hombro, listos para preparar la tierra.

—Esta tarea no es nada fácil —acertó a

decir Maruchi.

—Pero la haremos felices —le contesté yo, el Tragapalabras.

—Porque veremos sus frutos —añadió el Gran Atolondrado.

Hablábamos de esa manera cuando el Atolondrado se agachó para mover una piedra grande y cuando la levantó, ¡qué sorpresa! El Atolondrado daba saltos, movía las manos, se las ponía en la cabeza, abría los ojos desmesuradamente, hasta que gritó:

—¡Miren, miren; aquí están! ¡Lo que nos decía el abuelo...!

Maruchi y yo miramos. Debajo de la piedra había tres caracoles muy junticos. Tres caracoles de color rojo brillante, encendido; tres caracoles color escarlata, con dos líneas negras muy finas en forma de anillos o círculos que los adornaban. El Atolondrado los tomó en sus manos y se dirigió hacia donde había dejado la mochila.

De ella cogió un clavo de punta fina y un pedazo de hilo de curricán que le había quedado la última vez que fuimos a pescar; lo cortó en tres pedazos exactos. Con mucho cuidado le abrió un pequeño orificio a cada uno de los caracoles con el clavo y después le puso el resistente hilo. Le dio el primero a Maruchi, el segundo me lo dio a mí y el tercero se lo colgó al cuello. Maruchi y yo hicimos lo mismo.

—Estos caracoles son nuestros amuletos para la buena suerte. ¡Con su ayuda derrotaremos a las brujas! —nos dijo el Gran Atolondrado, lleno de emoción.

—Sí, desde hoy nos acompañarán —contesté yo, el Tragapalabras.

—¡Por siempre! —añadió Maruchi la Golondrina, como quien dice una sentencia.

Habíamos comenzado a hacer el huerto y pasábamos horas y horas limpiando el terreno, después quitándole las piedras, y finalmente rompiéndolo con los picos. Cuando la tierra estuvo tan fina que parecía que la hubiéramos pasado por un colador, empezamos a sembrar. Maruchi colocó las semillas de tomate, el Gran Atolondrado lanzó las de pimiento y yo sembré los surcos de quimbombó y de berenjena, que eran más cortos.

Colocábamos las pequeñas semillas y les echábamos la tierra encima con un ligero movimiento del pie derecho, para después aplanarlas pisoteando la tierra. Maruchi dijo que además ella sembraría las enredaderas de campanas amarillas que crecerían hasta las copas de cada árbol, de rama en rama. De árbol en árbol se cerraría una gran cortina que no solo haría muy bonito y agradable el huerto, sino que protegería los frutos contra el viento y también de los ojos de los mirones que de seguro vendrían a codiciarlos. Por eso en el centro del huerto pusimos un espantapájaros.

A su tiempo las semillas empezaron a soñar bajo la tierra, ayudadas por el sol y la lluvia, hasta que comenzaron a aparecer los brotes. Las plantitas crecían y crecían, y el huerto pronto se cubrió de flores que lanzaban sus ricos olores. Y comenzaron a llegar las mariposas a libar de las campanas amarillas. Tras las mariposas vinieron los colibríes que no temían al espantapájaros, pues al meter sus piquitos en las campanas casi su cuerpo entero les quedaba dentro, escondidos de tan pequeños. Al ver esto, el Gran Atolondrado expresó sus temores:

—Nos pueden echar a perder nuestro huerto, dejándonos sin sus frutos.

Yo estaba también muy preocupado, pensando que la colina iba a quedar lisa otra vez, solo cubierta por una capa de yerba fina. Pero, pensándolo bien, ante mis ojos había un espectáculo muy especial, pues nunca había visto tantos colores juntos. El batir de las alas de las mariposas se alternaba con el vuelo de los colibríes que se paralizaban de pronto, quedando suspendidos en el aire. Algo realmente digno de verse.

Pero justamente viendo aquello, el Gran Atolondrado empezó a decir que nos íbamos a quedar sin los tomates, sin las berenjenas, que los pájaros eran muy lindos pero que molestarían a nuestras plantas, etcétera, etcétera, etcétera. Yo imaginé que Maruchi se enfadaría al oír lo que decía el Atolondrado, pero Maruchi no dijo una palabra.

Maruchi estaba alelada mirando y mirando solamente. Su mirada se perdía tras el aire que se cortaba por el ligero movimiento de tantas alas, por la delicia de tantos colores y de tantos sonidos melodiosos. Parecía toda ojos, toda oídos. Y nos dimos cuenta de que una idea le había pasado por la cabeza, conmoviéndola y haciéndola temblar como si tuviera fiebre: «¡Ay, si yo pudiera volar!».

Como si Maruchi les hubiera dado una

orden, los colibríes enfilaron hacia el borde de su falda, agarrándola con sus piquitos, mientras las mariposas se le posaban en el pelo, en sus manos y en sus pies. Colibríes y mariposas se prendieron por todo su cuerpo y en cada pliegue de su ropa.

De pronto oímos un fuerte aleteo y Maruchi comenzó a ascender. Subía y subía, sostenida por el vuelo de los colibríes y las mariposas. Ellos la mantenían suspendida en el aire y poco a poco su figura se iba alejando cada vez más.

Rápidamente el Atolondrado y yo sacamos los papalotes de las mochilas, desenrollamos el cordel y le gritamos a Maruchi: «¡Allá van los papalotes!». Y un par de papalotes aparecieron en una mano de Maruchi. Y como también en la mochila encontramos unos globos, los inflamos a toda prisa y ¡listo! Le volvimos a gritar: «¡Los globos, coge los globos!». Y el manojo de globos fue a parar a su otra mano.

En el cielo Maruchi sonreía, y se podía ver que estaba feliz. En el huerto, de pronto, las flores de berenjena, quimbombó, pimiento y tomate, se convirtieron en enormes y jugosos frutos.

Entre tanto, Maruchi había llegado a una gran nube azul donde se sentó a descansar. Desde allá arriba su vista podía abarcar todo el paisaje: las pequeñas elevaciones que rodeaban el bosque haciéndolo un valle, el Valle de los Estornudos, y el huerto de la colina, que ahora tenía una vivísima explosión de colores de flores y frutos. Los colibríes y las mariposas empujaban la nube donde estaba sentada Maruchi. Ella iba en su nube, paseando muy lentamente pero sin detenerse, entre los vientos de verano. De pronto nos dimos cuenta de que quería decirnos algo, de que trataba de hacernos señas, pero no entendíamos. Solo sabíamos que nos quería avisar acerca de lo que estaba viendo.

Maruchi decidió cambiar de medio de comunicación: En el mismo cielo, entre nube y nube apareció un mensaje cuyas letras estaban formadas por el cuerpo de los colibríes que se colocaron en la más perfecta formación. Entonces pudimos saber lo que ella nos quería decir. Ya podíamos leer el cartel donde nos anunciaba:

Las brujas se reunirán en el bosque la víspera de San Juan.

Casi sin haber terminado de leer el cartel de Maruchi, el Atolondrado y yo agitamos las manos para que ella supiera que habíamos entendido. Acto seguido nos concentramos en una sola idea que repetíamos de manera muy fuerte: «Que los pájaros y las mariposas traigan a Maruchi. Que los pájaros y las mariposas traigan a Maruchi. Que los pájaros y las mariposas traigan a Maruchi». Repetimos y repetimos la misma frase hasta que vimos que la nube emprendía el viaje de regreso.

Rápido, muy rápido, a toda velocidad, los colibríes y las mariposas empujaban fuertemente la gran nube que ya estaba dejando de ser azul para oscurecerse cada vez más. Cuando Maruchi tocó tierra y vino hacia nosotros, la nube continuó su viaje, pero había pasado ya los tonos grises para convertirse en la más negra de todas las nubes de tormenta. Y en efecto, la nube comenzó a desgarrarse, a abrirse por todos sus huequitos por donde salían los chorros de agua más fuertes que habíamos visto en nuestras vidas.

Llovió tanto, que parecía que no escamparía nunca. La lluvia cayó de tal manera sobre el valle y los árboles del bosque que parecía un diluvio. Por supuesto, en la colina donde nos encontrábamos no llovió tanto, solo lo suficiente para que los frutos crecieran aún más, las enredaderas tuvieran

más flores y nosotros pudiéramos bañarnos bajo el aguacero. Sentíamos el golpe del agua contra la piel, contra los ojos que teníamos que cerrar mientras los oídos recogían la música de los goterones chocando contra nuestros cuerpos.

Estas preguntas me vinieron a la mente:

1. ¿Por qué razón se iban a reunir las brujas del Bosque de los Secretos?

2. ¿Qué nuevos planes macabros estarían revolviendo en su olla podrida?

De todas maneras, esa tarde tomamos plena conciencia de que teníamos que luchar contra ellas, y rápidamente, pues teníamos muy poco tiempo para el día de San Juan. Y esto no era una consigna hueca ni mucho menos tan solo por cumplir un punto de nuestro reglamento. Era una decisión, y con esa resolución bajamos la colina y regresamos al pueblo.

Seguíamos cultivando el huerto y recogiendo sus frutos, también continuamos yendo al parque a disfrutar la frescura de la carpa de las sombras. Cazábamos lagartijas por el día y cocuyos por las noches, mientras abuelo escuchaba las noticias en su radio: «Las brujas ejercen su poder maléfico contra todos los habitantes. Hacen que el miedo nos devore, que la desconfianza reine, que todo el tiempo estemos ansiosos, dominados por inquietudes y angustias» decía el comentarista del programa de radio que nunca dejaba de oír.

El verano era caluroso y continuábamos con la idea de luchar contra las brujas. El juramento de los miembros de El club de los caracoles escarlatas estaba en pie. Una tarde, cuando el Gran Atolondrado y yo, el Tragapalabras, acompañábamos a Maruchi hasta su casa, una nube de polvo amarillo nos siguió. Venía en dirección del Valle de los Estornudos, a solo varios kilómetros del pueblo. Cada vez nos apurábamos más porque si esta nube llegara a alcanzarnos

nos cubriría, y nunca pararíamos de estornudar.

Mientras tratábamos de escapar de la nube, el Gran Atolondrado nos dijo lo que, según él, le había contado su abuelo:

—Hace ya mucho tiempo, en el Valle de los Estornudos vivía la brujita Golsuinda con sus Siete Lagartijas. En ese valle había árboles gigantes. En el centro mismo del valle estaba el Árbol de la Copa Morada. Todos los días la brujita y sus lagartijas dormían siesta debajo de ese árbol. Y la brujita soñaba, las lagartijas soñaban. El Árbol de la Copa Morada soñaba también y, por supuesto, sus sueños eran morados. El árbol morado daba unas frutas redondas que tenían franjas de todos los colores, como el arco iris.

»Un día cogí una de aquellas frutas y la lancé con todas mis fuerzas. La fruta salió disparada por el aire, hacia las altas nubes. Pero un rayo de sol la tocó tan fuertemente que la hizo pedacitos, y de cada pedacito salió otra fruta redondita con franjas de colores. Las frutas iban cayendo a la tierra en forma de lluvia. Y mientras caían, las frutas se convertían en pelotas que iban a parar al parque, a los patios, y hasta se metían por las ventanas del cuarto de los niños.

»Cuando las pelotas tocaban tierra, rebotaban y los niños las cogían. Los niños saltaban y jugaban con las pelotas.

»Así fue como los niños que vivían en el valle jugaron por primera vez».

El Gran Atolondrado había terminado su relato pero yo sabía que esa historia no era producto de su imaginación como tantas otras. Sin dejar de sonreírle al Atolondrado Maruchi lo miró fijamente y le dijo: «Pues yo nunca he oído esa historia». Ella estaba seria, y le dijo que a lo mejor él inventaba todo eso porque había desaprobado el último examen de Historia, o que tal vez había desaprobado esa asignatura

73

porque inventaba cuentos en vez de hablar sobre las verdades históricas.

—Bueno, Maruchi, hablas como el maestro —le contestó el Atolondrado. Y añadió—: ¿Pero qué son las "verdades históricas", como dice el profesor Carballo?

Maruchi no se inmutó. Al contrario, estaba decidida a continuar la discusión:

—Las verdades históricas son los hechos, lo que ha ocurrido realmente, no lo que la gente inventa acerca de los hechos —le dijo con firmeza.

A lo que el Atolondrado contestó:

—No siempre es así. A veces faltan datos históricos, y entre hecho y hecho hay un vacío. En ese vacío es donde caben las leyendas, los mitos y los cuentos de duendes, elfos y espíritus divertidos.

Por el momento Maruchi no tenía más nada que decir, porque la verdad es que a veces en la Historia hay grandes huecos, abismos como el Triángulo de las Bermudas o la nada de los Orificios Negros. Pero aparentó no darse por vencida y le replicó de nuevo:

—A ver, señor Sabelotodo, ¿puede decirme por qué a ese valle se le llama Valle de los Estornudos?

El Gran Atolondrado recibió la pregunta de Maruchi con toda naturalidad.

—Muy sencillo. Todo ese valle estaba sembrado de flores, y los dueños de las casas cuidaban muy especialmente los jardines, hasta que un día hubo tantas flores que el polen era demasiado y todo el mundo empezó a estornudar. Y así fue como comenzó la historia...

»La gente que vivía allí no era feliz porque el maligno polen se les metía por la nariz, por los oídos, por el borde de los ojos. Por eso se pasaban todo el tiempo estornudando. ¡Aaachís, aaachás, aaachús! Ya hasta las bandas municipales habían incorporado en su repertorio un "Concierto de estornudos en fa mayor", que tocaban en las retretas del parque. Se cuenta que las Siete Lagartijas eran los músicos principales y la brujita Golsuinda dirigía la orquesta. También se decía que en las escuelas impartían cursos para aprender a sobrevivir a los estornudos, pues eran tan fuertes que las personas podían morir. Y los niños, en vez de jugar en los parques, se sentaban en los bancos a hacer competencias a ver quién estornudaba con más fuerza, más perfecta y estrepitosamente.

»Y por supuesto, discutían y peleaban. Una vez tomaron los utensilios de cocina de sus casas y pelearon. Unos cogieron las espumaderas y los cucharones, algunos salieron con las cucharas de tomar la sopa. Otros con los cuchillos y tenedores, que usaban como espadas. Las mamás andaban como locas porque no tenían con qué servir la comida o revolver la olla, y mucho menos con qué comerla ni en qué tomar agua.

Porque también las vajillas fueron utilizadas como armas. ¡Y pensar que todo esto sucedió por el honor de ser el que estornudara más ruidosamente!

»Por todo eso era difícil poder vivir allí. Y hasta se consideraba que el valle estaba pasando por una epidemia, un tipo de alergia colectiva digna de figurar entre los hechos más importantes del mundo. ¡En fin, una verdadera catástrofe!

»La situación de los habitantes del Valle de los Estornudos era penosa. Lo peor es que no podían hablar porque en vez de palabras, de sus bocas les salía el polvo amarillento del polen de las flores, mientras las lágrimas no paraban de rodar por sus mejillas. Y lo más grave todavía: cuando respiraban les salía el polen por la nariz y también por el borde de los ojos. A veces el polen les salía hasta por los oídos.

»Pero mi abuelo también me dijo que las brujas del Bosque de los Secretos eran las

causantes de todo por su maldad y ambi-
ción. Se dice que querían que todos se
fueran del valle porque esas tierras eran de
ellas, pues cuando la Grandísima Bruja llegó
de Galicia, donde era una *meiga* superior,
declaró que ese territorio era suyo así porque sí, sin papeles ni firmas, y decidió es-
tablecer allí su campamento, pero por las
noches corrían las cercas para ampliar ile-
galmente su propiedad.

»Las actuales brujas heredaron las tierras
de la Grandísima Bruja. Con varias gene-
raciones de brujas en el valle, sus habitantes
huyeron llenos de miedo hacia el otro lado
de las colinas y las montañas. Y allí funda-
ron el pueblo. Mi bisabuelo fue el primer
niño que nació allí, en esas tierras que todavía estaban libres de maleficios. Pero
pronto la epidemia del polen empezó a
azotar, para que la gente recordara que con
las brujas no se podía jugar».

El Gran Atolondrado paró de contar su
historia. Nos miró atentamente a Maruchi y

a mí, enarcó las cejas y se puso muy serio. Después hizo un movimiento con las manos, que colocó alrededor de su boca, como una bocina para dar una noticia, y dijo:

—Cuando los estornudianos más angustiados se sentían, cuando creían que estaban perdidos, los tres miembros de El club de los caracoles escarlatas les salieron al paso al polen de las flores que se había vuelto un enemigo, y acabaron con él. Así mismo fue. Esa victoria fue nuestra.

El Gran Atolondrado había parado de contar su cuento, pero yo pensé que nuestro amigo había cometido un error al declarar como héroes de una batalla del pasado, a los miembros de un club que se acababa de fundar. Y se lo dije:

—Oye, Atolondrado, según contaba mi abuelo, ni él había nacido cuando sucedieron esos problemas en el Valle de los Estornudos. Por lo tanto, no podemos apropiarnos de esa victoria.

El Gran Atolondrado, con la cabeza baja, me contestó:

—Bueno, Tragapalabras, eso solamente quiere decir que nosotros también podemos hacer cosas buenas, y grandes, y útiles para los demás.

Su respuesta nos convenció, y sus historias nos provocaron el deseo de ver cómo era el lugar.

Por eso, cuando llegamos a la casa de Maruchi ya habíamos decidido visitar el Valle de los Estornudos. Temprano, al día siguiente estábamos de nuevo allí para recogerla.

Ya estábamos en camino rumbo al Valle de los Estornudos. Llevábamos una mochila con provisiones: agua, galletas y unas latas de salchichas. Yo puse unos caramelos para Maruchi, pero el Atolondrado me ganó, pues sacó del bolsillo de su pantalón tres Caramelos Felices con sus caritas lindas y su rico olor, recuerdo del pasado. Maruchi

y yo abrimos los ojos muy grandes por la
sorpresa. Él nos sonrió y nos dijo que los
había guardado desde hacía mucho tiempo
para celebrar una ocasión especial.

Además de los Caramelos Felices, el
Gran Atolondrado traía en su mochila otro
tesoro: había encontrado un mapa del Valle
de los Estornudos entre los libros de su
papá. Con éste y la brújula que tomé pres-
tada de mi padre, confiábamos en que no
nos perderíamos.

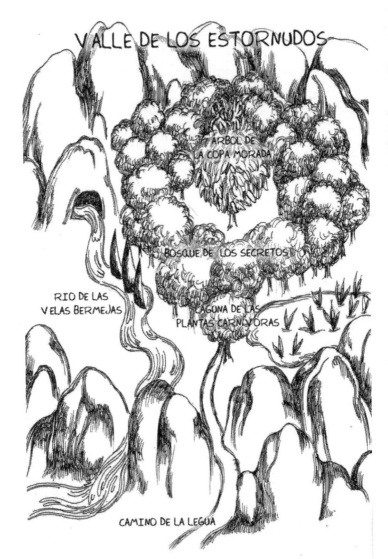

VALLE DE LOS ESTORNUDOS

ÁRBOL DE
LA COPA MORADA

BOSQUE DE LOS SECRETOS

RÍO DE LAS
VELAS BERMEJAS

LAGUNA DE LAS
PLANTAS CARNÍVORAS

CAMINO DE LA LEGUA

4. Mensajes extraños

Por supuesto, por el Camino de la Legua el Gran Atolondrado iba contando sus historias preferidas, las de fantasmas y apariciones. Más de dos kilómetros oyendo cuentos de misterio y hasta de horror que ponían nerviosa a Maruchi. «¿Se acuerdan del fantasma que entró al aula del señor Carballo? Era transparente y solo veíamos cómo se abría el libro en la página exacta donde teníamos que trabajar, y cómo se movía el lápiz e iban saliendo las letras que se marcaban en la página del cuaderno. Cuando eso pasó dejamos el aula y salimos corriendo por los pasillos, gritando: "¡Un fantasma en la escueeelaaa!" Yo, el Gran Atolodrado, saqué de mi bolsillo una matraca, otros sacaron pitos y los que ensayaban en el cuarto de música salieron tocando claves y tambores, y hasta saxofones. ¡Se armó la gorda! ¡Qué manera de divertirnos! ¿Pero saben por qué había fantasmas en la escuela? Pues porque en el terreno donde ahora hacemos Educación Física antes había un cementerio».

—Un cementerio no; un hospital. Eso es lo que había antes en ese terreno —le dijo Maruchi, como saliéndole al paso, lo cual yo confirmé para restarle dramatismo a la expresión del Atolondrado y así evitar una posible discusión.

Sin darnos cuenta ya habíamos caminado los más de dos kilómetros del Camino de la Legua, un camino con muchas curvas que no permitían ver lo que venía un poquito más allá. Y ya frente a nosotros teníamos las colinas que rodeaban el Valle de los Estornudos. Grandes pedruscos y dos hileras de árboles franqueaban la entrada, y de sus copas pendían plantas de enredaderas con las más diversas flores, muy especialmente las campanas amarillas.

Maruchi estaba fascinada por la belleza y yo estaba feliz. Solo el Atolondrado estaba inquieto, caminando de aquí para allá y de allá para acá, dando unas carreritas, unos saltitos sobre las piedras, sin descanso. Se paró sobre una de las piedras, miró hacia abajo, hacia sus zapatos, y dio un grito que nos estremeció.

—¡Eeeeh! ¡Vengan a ver estoooo! —exclamó.

Y allá fuimos Maruchi y yo, el Tragapalabras, intrigados, pensando qué habría descubierto el Gran Atolondrado.

—¿Qué pasa, Atolondrado? —le preguntó Maruchi.

85

—¿Encontraste algo? —le pregunté yo, con curiosidad.

—¡Síííí! —contestó—. ¡Vengan, suban rápido! —añadió.

Cuando subimos a la roca miramos hacia los zapatos del Atolondrado. Allí comenzaba una hilera de huellas de lagartijas fósiles. Las marcas eran muy claras. Pero las lagartijas no eran del tamaño de las de ahora, de esas que el Atolondrado y yo cogíamos en el patio para jugar durante el verano. No. Estas lagartijas eran grandes, como del tamaño de una iguana.

—Estas eran lagartijas gigantes, Atolondrado —le comenté.

—¡Deben ser parientes de los dinosaurios! —exclamó Maruchi.

—Es posible —dijo el Gran Atolondrado, pensativo.

—¡Fíjate bien! —dije yo, con entusiasmo por la idea—. Tienen la cabeza chiquita y la cola muy larga, y las extremidades de atrás son enormes en comparación con las delanteras —abundé en la idea de Maruchi.

—También pudieran ser de la familia de los diplodocos —nos informó el Atolondrado—. Pero pensándolo bien, me parece que... —dijo sin terminar la frase.

El Atolondrado añadió esto último como si pensara en voz alta, igual que si estuviera hablando delante de un espejo. Más aún, como si Maruchi y yo no estuviéramos allí. O como si no existiéramos. Ninguna de nuestras preguntas tenía respuesta. Y como él era muy práctico y le gustaba sentir que sus pies estaban sobre la tierra, al Atolondrado no le parecía bien quedarse solamente con las apreciaciones y creencias, sin ninguna prueba de nada. Pero después de pensar un poquito, terminó la frase:

—¡Estas son las huellas de las Siete Lagartijas que siempre acompañaban a la brujita Golsuinda! Ellas también ayudarán a derrotar a las brujas —dijo, muy contento por el hallazgo.

Y continuó:

—Según cuentan, las Siete Lagartijas estaban con Golsuinda el día en que trazó un círculo en el centro del Bosque de los Secretos y bailó a su alrededor hasta cansarse. Entonces de la tierra brotó un árbol enorme con ramas, hojas y flores moradas.

—Así nació el Árbol de la Copa Morada —interrumpí al Atolondrado —las malvadas se lo quitaron a Golsuinda; al menos eso me dijo el abuelo —añadí.

Entonces el Atolondrado comenzó a buscar a su alrededor y recorrió todo el lugar con una mirada profunda, penetrante. Hasta que encontró algo, un objeto que aparentemente no tenía relación alguna con lo que allí estábamos viendo: Una escoba.

La escoba descansaba contra el tronco de un árbol. El Atolondrado corrió hacia aquella dirección.

—¿Qué hace esa escoba aquí? —dijo él, alzando la voz.

Al verla, Maruchi pensó en la escoba de Teodobalda Petulancia, que siempre estaba recostada a la pared de la fábrica de caramelos.

—¿Será la escoba de Teodobalda Petulancia? —pregunté yo, el Tragapalabras.

—¡Vamos a verla de cerca! —nos gritó el Atolondrado. Maruchi y yo lo seguimos. Subimos un poco más la colina, tratando de evitar las piedras enormes que nos salían al paso, como para impedirnos continuar hacia aquel árbol. Hasta que llegamos.

Pero al llegar allí nos dimos cuenta de que la escoba era muy diferente de la de la dueña de la fábrica de Caramelos de la Vieja. El palo no era muy largo, y la parte con que se barre era ancha. Las fibras que la componían eran racimos del palmiche atados con una cinta rosada. La cinta sostenía un papel que parecía una carta. El Atolon-

drado cogió el papel y lo abrió. Efectivamente, era una carta, y esto es lo que decía:

:ATRAC ATSE ERTNEUCNE NEIUQ A
.ADNIUSLOG ATIJURB AL YOS OY
SOL ED EUQSOB LED SAJURB SAL
.ARENOISIRP NENEIT ME SOTERCES
.ROVAF ROP ,EMNEDÚYA
.SAJITRAGAL SAL A NAGIS

—¡Ahora sí que se ha complicado esto!
—exclamó el Gran Atolondrado, pasán-
donos el papel. Maruchi y yo tratamos de
leerlo, pero no pudimos.

—¿En qué idioma está escrito? —preguntó Maruchi—. No entiendo nada —con
tinuó.

—A ver, a ver. Intentémoslo —dijo el
Atolondrado, tomando el papel. Yo me si-
tué por detrás de su hombro izquierdo para
tratar de leer el mensaje. Lo leí una vez,
pero no entendí; lo leí por segunda vez, y
nada tampoco. Pero la tercera vez que lo leí

una lucecita empezó a bailar en mi cerebro.

—¿Y si se leyera al revés? —les expresé de manera rápida.

—¿Cómo al revés? ¿Qué quieres decir? —me preguntó el Atolondrado.

—¡De atrás para adelante, de allá para acá, de derecha a izquierda! —contestó a todo pulmón Maruchi.

—¡Pues no entiendoooo! —dijo con un poco de desesperación el Gran Atolondrado.

—Vamos a ver. Tratemos de leer letra por letra de atrás para adelante —dijo Maruchi—. ¡Quién sabe si cuando escribieron la carta se escribía de esa forma —añadió.

—Muy buena idea. Me parece que en algún lugar leí que las brujas escriben al revés... A ver, comienza, Tragapalabras —me ordenó el Atolondrado.

Yo, el Tragapalabras, cogí el papel y atentamente comencé a leer, marcando con el dedo índice cada letra:

A QUIEN ENCUENTRE ESTA CARTA:
YO SOY LA BRUJITA GOLSUINDA.
LAS BRUJAS DEL BOSQUE DE LOS
SECRETOS ME TIENEN PRISIONERA.
AYÚDENME, POR FAVOR.
SIGAN A LAS LAGARTIJAS.

Cuando terminé de leer miré a mis amigos. Sus caras mostraban asombro, susto y miedo.

Maruchi bajó los ojos y casi a punto de llorar dijo bien bajito: «¡Pobre Golsuinda!». Y el Gran Atolondrado tuvo una reacción muy propia de él. Lanzó una sarta de malas palabras, las mezcló con amenazas y gritos contra las brujas para luego terminar con una frase que cortó el aire cuando la dijo:

—Brujas, en polvo frío se convertirán. Serán polvo seco en el viento; serán polvo yerto como el de los muertos. Lo digo y lo juro yo, el Gran Atolondrado —dijo esto levantando su caracol-amuleto.

Nosotros lo imitamos elevando nuestros caracoles por sobre nuestras cabezas:

—Y yo, el Tragapalabras, también lo juro.

—Y yo, Maruchi la Golondrina, lo juro también.

—El club de los caracoles escarlatas lo jura —dijimos en voz muy alta los tres. Para sellar el juramento cada uno levantó su caracol, besándolo.

Nunca antes nuestras caras habían mostrado tanta seriedad, tanta firmeza, ni tanta indignación. Sin decir más el club se puso en marcha.

No solo nos sentíamos indignados, sino también enardecidos, excitados, avivados, apasionados, impacientes y, en dos palabras, muy molestos. No esperábamos la situación en que estábamos metidos y eso nos hacía sentir un gran sentido de responsabilidad, acompañado por un poco de angustia. La tarea era enorme y nos asaltaba la duda.

¿Podríamos nosotros cumplirla? Pero El club de los caracoles escarlatas había hecho un juramento y ni siquiera nos pasó por la mente la idea de echarnos para atrás.

La suerte estaba echada, como decía el señor Carballo cuando nos ponía el examen, y no había otra cosa que hacer sino ir al rescate de aquella brujita tan querida en el Valle de los Estornudos. La querían especialmente porque había salvado a sus habitantes de la crecida del río donde se decía navegaba el barco de las tres velas bermejas, y también porque había dirigido la banda de música donde tocaban las Siete Lagartijas en las tardes de conciertos, lo cual era muy beneficioso para el pueblo.

Entre las cosas extraordinarias que se oían de ella, se decía que tenía una manera de comer muy singular. Sus platos preferidos eran una combinación un tanto rara que incluía recetas como "Rabo de nube a la naranja", "Cacerola de puntas de estrella",

"Bolitas de metal a la luz de la luna", "Aporreado de piedras fosforescentes en salsa ligera", "Arena revuelta en sortilegio", etcétera. Ah, pero eso sí, ella no tomaba ningún tipo de sopas porque éstas le recordaban las que hacían las brujas del Bosque de los Secretos.

Y muchas más cosas se decían de la brujita Golsuinda:

Que trajo los colibríes al Valle de los Estornudos.

Que invitó a las alondras para que los amaneceres fueran más alegres.

Que pidió a los gallos que alargaran sus cantos para que sus quiquiriquíes se escucharan más lejos aún.

Que llenó el bosque de carteles que decían: "No cazarás" y "Silencio, las plantas duermen".

—¿Y qué más, qué más? —me preguntó Maruchi, porque lo que había hecho la brujita a ella le gustaba mucho.

Pero no pude contestarle porque el Atolondrado me interrumpió con una exclamación que más bien parecía un grito: «Oye, Tragapalabras, ¡las siete lagartijas murieron hace miles de años! ¡Son fósiles! ¡Fó-si-les!». La verdad es que no había pensado yo en cómo íbamos a seguir a las lagartijas si ellas ya no podían guiarnos. La situación no era nada fácil. A lo mejor al Atolondrado se le ocurría algo.

—¿Te acuerdas, Tragapalabras, de cuando hicieron la feria en el pueblo? ¡Qué de música en el parque, qué de luces! ¿Te acuerdas del tiovivo?

Maruchi y yo lo miramos fijamente, como cuando comenzaba a inventar historias o a decir mentiras. Al ver nuestra actitud el Gran Atolondrado paró de hablar. Él sabía que en esos momentos no podíamos distraernos del motivo principal, que era encontrar y rescatar a Golsuinda.

—Volvamos a nuestro asunto, tenemos

muy pocos datos como para perder tiempo contando historias y cuentos —dijo con energía, mirando a su alrededor.

—Sí, debemos continuar —le contestó Maruchi.

—¡En marcha! —dije yo, el Tragapalabras.

Seguimos la ruta de las huellas de las lagartijas y fuimos a parar a un campo de hongos de gran tamaño. Eran tan grandes que podían servirnos de sombrilla, y sus colores provocaban tocarlos. Pero el Atolondrado nos advirtió que los hongos gigantes eran venenosos. Tuvimos que esquivar el campo de hongos para reencontrarnos al final nuevamente con las huellas de las lagartijas. Tomamos un trillo en cuyos bordes había muchas piedras y ya habíamos avanzado bastante cuando Maruchi tropezó con una de ellas, y se hubiera caído si el Atolondrado y yo no la ayudamos, sujetándola rápidamente por ambos brazos.

Pero nuestra sorpresa fue mucha cuando vimos que la supuesta piedra con la que había tropezado Maruchi ahora se movía, y de pronto le vimos una cola, y hasta cuatro patas. Y cuando dio unos pasitos de su marsupio salió un animalito que evidentemente era su hijo. Entonces se echó a correr, se subió a un árbol y allá arriba se quedó columpiándose en las ramas.

—¡Cuidado! ¡Es una rata enorme que nos puede morder! —nos gritó a viva voz el Atolondrado.

Pero yo le dije que era una zarigüeya, y como para que no quedaran dudas, Maruchi la describió—: Tiene el hocico puntiagudo, la cola larga, las patas cortas. ¡Y qué orejas tan grandes y negras!

Y como el animalito estaba colgado de la rama por su pelada cola, del marsupio se le salió un papel amarillento y viejo que vino a parar a mis pies. El papel tenía un mensaje que decía:

.AYEÜGIRAZ AL A NAGIS.

Ya sabemos que eso quiere decir: «SIGAN A LA ZARIGÜEYA».

La distancia entre nosotros y la brujita Golsuinda era cada vez más corta.

5. Mireya la Zarigüeya y Pollo Sin Cabeza

—¿Qué eres tú, zarigüeya o rata? —le soltó de un tirón el Gran Atolondrado, como retándola.

—¡Zarigüeya, por supuesto! Soy Mireya la Zarigüeya, y ustedes son los miembros de El club de los caracoles escarlatas. Ya los estaba esperando.

—¿Cómo lo sabe? ¿Quién le habló de nosotros? —le preguntó Maruchi.

—Lo sé porque he tenido una prueba. Muy temprano las piedras del camino empezaron a cantar, y después se movían como si estuvieran bailando hasta que se desprendieron y echaron a correr, cambiándose de lugar. Esa es la señal de que pronto la brujita Golsuinda sería liberada. Además, los escuché cuando hicieron el juramento. Y porque llevan esos caracoles escarlatas colgados al cuello. Solo los que llevan esos caracoles pueden rescatar a Golsuinda para vencer a las brujas.

Mireya paró de hablar, luego se agazapó con la espalda encorvada, los pelos del lomo erizados y la cola enrollada.

Acto seguido la zarigüeya, con mucha gracia, se acomodó a su zarigüeyita en el marsupio y nos dijo: «¡Síganme!». Dio media vuelta y echó a andar. Su aspecto era como el de una rata grande o el de una jutía. Igual que ellas, tenía un pelaje denso y grisáceo, repartido por todo el cuerpo. Pero sus mejillas amarillentas contrastaban con el rosado de su nariz, lo cual la hacía parecer muy simpática.

La seguimos. Ahora iba dando saltitos con sus patas cortas, pero se movía con tanta rapidez que tuvimos que hacer un esfuerzo para no quedarnos atrás. Por eso el Atolondrado le gritó: «¡Eh, zarigüeyita! Andas muy deprisa».

Pero ella no se detuvo porque estaba acostumbrada a los ambientes húmedos de los bosques, a caminar sobre las hojas secas, a tropezar con los palos huecos que se recostaban a la tierra o a los aullidos de animales grandes y fieros. Y nosotros tuvimos que correr para poder alcanzarla, pues iba devorando el camino, las piedras de las orillas, la vegetación. A veces Maruchi se nos quedaba un poquito atrás y entre el Atolondrado y yo la halábamos hacia nosotros, la sujetábamos por ambos brazos y la manteníamos suspendida en el aire por un tramo.

De pronto el animalito se paró en seco y se lanzó al suelo. Pegó una de sus largas y negras orejas contra la tierra como si tratara de escuchar algún ruido. Entonces abrió la boca todo lo que pudo y emitió un sonido sibilante y sostenido. Después Mireya la Zarigüeya se levantó y enarcando las cejas nos dijo: «Pollo Sin Cabeza ya salió a encontrarnos. Debemos esperarlo aquí, bajo este árbol». Y nos señaló con la patita derecha un frondoso algarrobo de olorosas flores.

— ¿Quién es ese pollo, Zarigüeyita? —le preguntó Maruchi.

—Es un pollo que no tiene cabeza —le contestó sin más detalles.

—Esta es la historia de Pollo Sin Cabeza —dijo Mireya la Zarigüeya:

»El pollo ayudaba a Golsuinda. Le cuidaba el huerto, traía semillas, hacía los surcos, sembraba... Y un día, la Grandísima Bruja, una bruja mala, sintió envidia de

104

Golsuinda porque tenía un ayudante tan bueno y fiel. Ella quería que él la ayudara y que dejara a Golsuinda, pero a él le pareció tan absurdo que se empezó a reír y cuando echó la cabeza hacia atrás para lanzar una carcajada, la bruja se la cortó.

»Pero el pollo no se murió, sino que caminó hacia donde estaba Golsuinda. Al verlo así, ella sintió gran compasión y empezó a empatarle los nervios, los músculos y las venas, a suturar las arterias, a prepararlo para que pudiera comer y hasta para que hablara. Así pudo salvarse el pollo. Y cuando las brujas encerraron a Golsuinda el pollo iba a verla y siempre le llevaba alguno de sus platos favorito escondido debajo de sus alas. Ahora él se acerca y nos guiará hasta el lugar donde tienen encerrada a la brujita buena. Sé que es él porque puedo oír el retumbar de sus pisadas fuertes; tiene que plantar con más firmeza para no perder el equilibrio».

105

—¿Y si fuera otro animal, un oso negro, una cebra al galope, un tigre de la selva o un elefante? —le habló Maruchi, con los ojos grandes, muy grandes.

—Nadie sino él puede ser, y veo que tienen miedo y eso no les permite creer; así no podrán seguirnos. Pero si tienen algún temor piensen en Pollo Sin Cabeza; él hace cosas extraordinarias todos los días desde que se despierta temprano en la mañana hasta que se acuesta por la noche. Es un ejemplo para los tristes y deprimidos. Siempre esforzándose...

Mireya la Zarigüeya se calló de pronto porque en eso apareció a lo lejos la figura del pollo, como recortada contra el horizonte. Nosotros estuvimos todo el tiempo callados, mirando fijamente aquella figura que se acercaba a toda velocidad. Con paso firme lo vimos llegar; se nos plantó frente a frente y extendiendo el ala derecha nos dijo con una voz que más parecía un hilito saliendo de un pozo.

—¡Hola, muchachos, yo soy Pollo Sin Cabeza!

—¡Mucho gusto! —coreamos los tres, extendiendo cada uno la mano derecha al mismo tiempo.

—Mireya la Zarigüeya los ha puesto al tanto, seguramente. Así que tenemos que apurarnos. ¡Andando! —nos dijo Pollo Sin Cabeza.

No dijimos ni pío y echamos a andar detrás de Pollo Sin Cabeza, quien de cuando en cuando abría las alas como si más que caminar quisiera volar planeando por entre los árboles, por sobre los yerbazales del Valle de los Estornudos. La caminata no fue tan larga, pero yo la encontré difícil porque había muchos cardos de hasta un metro de altura, alcachofas un poco más pequeñas pero igual de espinosas, y ortigas rastreras que daban mucha picazón y urticaria.

¡Hasta que llegamos a un lugar muy cerca de donde estaba la brujita Golsuinda!

Pollo Sin Cabeza nos dijo que a un kilómetro se encontraba el río, que ya estábamos cerca, que unos pasos más y se acabarían nuestra carrera y el suplicio de la brujita.

Cuando nos detuvimos ante la cueva donde Golsuinda estaba encerrada con siete llaves, apareció ante nuestros ojos una especie de visión. La brujita estaba sentada en el piso, en un espacio donde le daba la luz. Tenía inclinada la cabeza en actitud meditativa. Cuando levantó los ojos para mirarnos había unas lucecitas en su mirada que se detuvieron en nuestros caracoles, lo cual hizo que los pestillos se descorrieran, que el cerrojo de la puerta cediera, que los candados se abrieran, que las rejas se retiraran de un bandazo, dejando libre el espacio por donde entramos de un salto a la cueva. Tomamos a Golsuinda por el brazo y salimos sin perder tiempo. Pollo Sin Cabeza iba delante, lo seguía Golsuinda, después

Mireya y Maruchi. Al final quedamos el Atolondrado y yo, cubriendo la retirada.

Pero nuestra carrera no se había terminado, sino que ahora empezábamos una peor: la del regreso. Mireya la Zarigüeya y Pollo Sin Cabeza no continuaron con nosotros sino que se internaron en el Valle de los Estornudos en busca del Bosque de los Secretos. Ambos tenían una misión especial que cumplir: vigilar a las brujas para saber qué iban a hacer.

Mientras, nosotros (es decir, Golsuinda y El club de los caracoles escarlatas) buscábamos el camino de regreso al pueblo.

Íbamos atravesando el bosque, siguiendo la ruta de las colinas que se elevaban a su alrededor, y a la brujita Golsuinda se le había soltado la lengua, pues mientras estuvo encerrada no tenía con quién hablar. Ella sabía del interés que despertaba entre nosotros. Por eso cuando nos encontramos con un arroyuelo de aguas claras nos miró detenidamente y alzando los brazos pronunció la palabra **RÍO.** Entonces un río ancho, profundo y caudaloso apareció ante nuestros ojos.

—Podremos tirar las redes y atraer los peces de la suerte —nos anunció—. En el fondo, cerca de la desembocadura, estará el tesoro que los piratas abandonaron —añadió.

Ante nuestros ojos había un río con curvas y meandros que iban al mar. En el centro había un velero, y cuando Golsuinda dijo **MÁSTIL,** le salió después la palabra **ARBOLADURA.** Ahí fue cuando el viento hinchó las tres velas bermejas.

—¡A bordo, niños, a navegar! —gritó.

Golsuinda dijo entonces la palabra **PUENTE** y por sobre ella pasamos desde la orilla hasta la embarcación. El velero poco a poco se iba alejando.

—¿Pero dónde estarán los peces voladores?—exclamó la brujita mirando hacia arriba. Y bajó los ojos para volver a preguntar:

—¿Acaso se han perdido las anguilas?

Miró las aguas con detenimiento y exclamó:

—¡Las biajacas, allá están las biajacas! ¡Traigan el anzuelo!

Corriendo llegamos al rincón del camarote y a la vuelta le gritamos: «¡Eh, aquí lo tenemos!».

La brujita Golsuinda tomó el anzuelo entre sus manos, moviéndolo como si fuera una maraca.

No supimos por qué Golsuinda levantó el anzuelo y pronunció la palabra **NASA,** pero cuando la dijo apareció una cesta de juncos y de alambre. Alzó los ojos y con fuerza lanzó la nasa hacia las aguas y al instante la cesta se llenó de peces, casi sin haber tocado la superficie. Luego dijo unas palabras que no entendimos y, acto seguido, devolvió los peces al agua.

Después, navegamos y navegamos.

Pero dentro de la embarcación se oyó un ruido como un batir de tambores, y rataplán, rataplán, dijo con su música la Cajita de las Sorpresas, que estaba en un rincón, y las cosas podían enredarse, porque esa era la orden de jugar a la guerra. En ese momento Golsuinda nos gritó: «¡No vayan a abrir la caja esa!». La cajita pertenecía al bando de las brujas del Bosque de los Secretos.

Pero rataplán, rataplán, la Cajita de las Sorpresas se abrió sola y tuvimos que ponernos el uniforme de soldados para recibir el «¡a formar!».

Sin decir palabra colocamos los cañones. Uno por el lado izquierdo de la embarcación, mirando a la popa; el otro por el costado derecho, hacia la proa.

—¡Fuego graneado a babor, fuego también a estribor! —ordenó la brujita. Ella temía que atacaran por la retaguardia.

Como buenos soldados obedecimos.

El disco rojo del sol daba sus últimos rayos, rojos también, y en el cielo se arrebujaban los malvas y los naranjas. Contra la oscuridad que ya aparecía, las nubes paseaban su obesidad, sus redondeadas figuras con ribetes dorados.

Dejamos de disparar contra la corona del sol que se nos escapaba. El cielo dejó de ser azul y el agua se puso oscura; las flores de saúco ya no eran blancas. Ahora el barco olía a jazmín de noche y a lo lejos un clarinete nos advertía que debíamos regresar.

La tarde se había quedado tranquila. Ni siquiera la sombra de los pinos se movía. El río no se agitaba, pero se estaba tragando el disco rojo del sol, y el velero andaba despacio: se iba quedando atrás. Las velas, a medio desinflar, dejaron de ser bermejas.

Entonces, de un solo golpe Golsuinda cerró la caja mientras tratábamos de adivinar lo que pasaría después.

Pero fue muy sencillo: Golsuinda alzó la Cajita de las Sorpresas hasta la altura de sus ojos, la miró fijamente y le dijo, pronunciando bien despacio:

—¡Ahora menciono la palabra *PAZ!*

Y se hizo el silencio.

Avergonzada, la Cajita de las Sorpresas se fue a esconder entre los cachivaches del rincón.

Después, la proa del barco se convirtió en popa, la popa vino a ocupar el lugar de la proa, y comenzamos a regresar. A lo lejos, el clarinete apretó su boquilla para descargar su melodía.

—¡Rápido! —nos gritó Golsuinda—. ¡Hay que llegar al puente de la palabra *PUENTE!*

El barco se echó a volar.

Pronto estaríamos en tierra nuevamente. Golsuinda descansaría en la carpa de las sombras, mientras nosotros, calabaza, calabaza, cada uno para su casa.

Temprano en la mañana nos reuniríamos para comenzar nuestra expedición.

115

6. El Bosque de los Secretos

Por el camino el Atolondrado nos contaba:

—Ya lo decía el abuelo, no una ni dos, sino muchas veces, y tenía toda la razón: El Bosque de los Secretos era un lugar muy peligroso, que en la parte del bosque que da para el huerto de la colina había grandes misterios. Por eso lo llamaban el Bosque de los Secretos. Dicen que por las noches los fantasmas se paseaban por entre las ramas de los árboles y también se escuchaba el galopar de un caballo, y que sobre el caballo andaba un jinete sin cabeza. Y que de sus ojos brotaban un par de luces que alumbraban como reflectores.

Pero yo, el Tragapalabras, interrumpí al Atolondrado para decirle que si el jinete no tenía cabeza tampoco podía tener luces en los ojos que no tenía... Pero él, rápidamente me contestó que lo que quería decir era que del suelo salían un par de luces como reflectores. Ahí fue cuando Maruchi y yo nos miramos y sonreímos con picardía. Ya se sabe que de cuando en cuando el Gran Atolondrado exageraba un poco y, aunque lo miramos con seriedad, él continuó sin inmutarse: «Aquellas luces salieron disparadas detrás del caballo y su jinete, hasta que quedaron prendidas como dos estrellas en el cielo».

El Atolondrado calló y Golsuinda nos dijo que también se decía que nadie podía entrar al bosque, y que si alguna persona con mucha suerte lo lograba, saldría convertida en un animal. Entonces, ¿podría convertirme en un cocuyo y Maruchi en una mariposa? Y el Atolondrado, ¿qué animal podría ser el Atolondrado? ¡Cuánto tendríamos que cambiar para poder adaptarnos a una nueva forma de actuar y de reaccionar!

—Otro misterio —continuó Golsuinda—: Si alguien navegaba por el Río de las Velas Bermejas corría el peligro de morir a manos de la Cajita de las Sorpresas, capaz de desatar todas las guerras. A ese río lo llamaban así porque desde una de las colinas se podía ver lo que parecían tres velas rojas de una embarcación, no se sabe si a medio hundir porque no se lograba ver bien el casco ni en las horas más claras del mediodía.

—Golsuinda, ¿sabes por qué las brujas quieren solo para ellas el Árbol de la Copa Morada? —preguntó Maruchi.

—En ese árbol las Siete Lagartijas y yo dormíamos la siesta. Las malvadas brujas me encerraron en una cueva y mataron a las Siete Lagartijas para poder quedarse con el árbol, donde tienen su gran fábrica. Con sus flores y hojas ellas hacen los Caramelos de la Vieja desde que envenenaron sus raíces con pócimas y sopas fermentadas. Por eso los caramelos son dañinos y enferman a quienes los comen —confirmó la brujita con tristeza.

El Gran Atolondrado y yo, el Tragapalabras, nos quedamos pensativos pero no dijimos nada.

Situados en el valle donde la humedad y la frescura les llegaban desde la tierra abundante en manantiales, los árboles del bosque habían crecido con gran fuerza, con unas copas enormes, tan grandes que parecía que se desbordaban. El bosque había cambiado totalmente, pero no solo el bosque. También su laguna, que antes estaba cubierta de flores de loto, ahora tenía sus bordes llenos de unas flores extrañas con un olor que nunca antes se habían conocido y que atraían a cuantos insectos se les acercaran, devorándolos. Por eso le cambiaron el nombre y ahora la llaman Laguna de las Plantas Carnívoras.

A la gente del pueblo le gustaba ir al bosque, pasear por entre los árboles, andar los caminos estrechos por donde cabía solamente una persona. En fin: respirar el aire puro y fresco. Pero ya nadie se atrevía a ir por aquellos lugares. Solo el Gran Atolondrado quería ir al bosque porque a él le gustaba mucho no solo el misterio sino también el peligro. Sin dudas el lugar estaba lleno de ambos, sobre todo últimamente.

Pero ahora teníamos una misión especial, la lucha contra las brujas que dominaban al pueblo ya por demasiado tiempo, y le hacían daño no solo a las personas, sino también a los animales y a las plantas. Por eso El club de los caracoles escarlatas juró acabar con ellas.

Golsuinda iba delante, la seguía yo, y detrás de mí iba Maruchi. Por último, el Gran Atolondrado. Anduvimos mucho por aquel largo camino y, pensando en Maruchi, decidimos descansar a la sombra de un algarrobo, donde la brujita nos contó la historia de las brujas.

«La Grandísima Bruja tenía su séquito comandado por tres brujas, La Pizzicata, La Liendrera y Constantinopla. Esos apodos tenían su explicación: la primera pellizcaba con todas sus fuerzas, a la otra se le pegaron unas liendras o piojos que nunca se le quitaron, y la tercera no podía pronunciar bien ese nombre tan largo. Vivían en Galicia, entre los castaños y los olivos del Cañón del río Sil en la Ribera Sacra, donde hacían sus maldades volando sobre sus escobas por entre las ramas de los árboles y subiendo al campanario de los monasterios donde descansaban. Llegaron al puerto de Vigo y se embarcaron escondidas como polizontes entre los bidones de aceite que traían para América. Cruzaron el Océano Atlántico y se establecieron definitivamente entre las copas de estos árboles que ahora vemos».

Empezamos a poner mucha atención a la historia de Golsuinda; con un comienzo tan interesante éramos todo ojos y oídos. No queríamos perdernos ni una sola palabra, ni un solo detalle.

«La Grandísima Bruja pasaba todo el tiempo en sus actos malignos y sus travesuras extrañas y solo se sentía feliz cuando hacía el mal. Y el mayor placer que pudiera ella sentir era cuando hacía males irreparables, es decir, daños que no se pudieran volver a componer.

»Una vez la Grandísima Bruja le prendió fuego al bosque solo por verlo arder, por contemplar las llamaradas que alcanzaban el cielo, por oler el humo que subía en enormes columnas negras, por oír el crac-crac de las ramas al quemarse. La Grandísima Bruja reía con unas carcajadas estruendosas como para que todo el mundo la oyera.

»"¡Cacle-cacle-cacle!", decía mientras miraba el espectáculo con sus ojillos pícaros por cuyos bordes les salían unos chorritos finos de humo. "¡Cacle-cacle-cacle!", susurraba frotándose las manos, revoloteando en círculos sobre su escoba.

»Antes de incendiar el bosque la bruja había hecho su sopa, un caldo para convertir a las personas en animales y a los animales en personas. El caldo era una mezcla extraña de pociones a base de polvo de colmillo de lobo y de vampiro, polvo de alas de murciélago, ancas de rana previamente fritas en bálsamo tranquilo, sangre de cuervo coagulada, cenizas de perro, ojos de ratones de Abisinia, patas de araña ahumadas, polvo de alacranes fritos, polvo de piel de culebra, algunos trocitos de lengua de cotorra asada, las verrugas de sus manos y los callos de sus pies».

—¡Puaf! ¡Puaf! —exclamó Maruchi a punto de vomitar.

«Y cacle-cacle-cacle, la Grandísima Bruja reía satisfecha revolviendo su gran olla mientras decía su ensalmo bien bajito, casi murmurando:

Cacle que cacle, bate que bate.

Abracadabra pata de cabra;

sopa sopera para la abuela.

Para la hijita, sopa sopita.

¡Y que se mueran!

»La bruja no solo recitaba, sino que bailaba llevando el compás del ritmo con que revolvía la sopa».

Golsuinda no paraba de contar:

«Con la mitad de esa pócima y treinta libras de azúcar las brujas fabrican unos caramelos que regalan a los niños que siempre andan buscando golosinas sin tener en cuenta quién se las da, y caen muy fácilmente en las redes de la Grandísima Bruja. Los niños que comen esos caramelos se enferman con unas fiebres altísimas, vómitos y diarreas. Cuando logra engañar a algún niño goloso, la Grandísima Bruja empieza a reír como si fuera una gallina clueca, sin poder parar. "¡Clo-clo-clo-clo-clo-clo-clo-clo-clo-clo-clo-clo!". Se pasa semanas, meses, años, riendo todo el tiempo. Por eso se le arrugó tanto la cara, y se le puso tan ganchuda la nariz para siempre.

»Eso era antes —continuó Golsuinda—, porque ya la Grandísima Bruja ha perdido poderes, está demasiado vieja. Ahora el peligro mayor es la Bruja Peor. Esa sí que es temible, mucho más que su madre, y como vive en las nubes, cuando se enfurece, especialmente si se le ha echado a perder algún plan malvado, recoge las nubes, las junta, las carga de electricidad y ella misma prepara las tormentas. Las trombas marinas son su especialidad, por lo que muchos pescadores, embarcaciones y peces, han ido a parar al fondo del mar.

—¿Y cómo podríamos protegernos de la Bruja Peor? —la interrumpió Maruchi.

—La peor de todas las brujas es la Bruja Peor, porque es muy astuta —sentenció Golsuinda. Pero lo peor de la Bruja Peor es que puede convertirse en mujer durante el día, por eso nadie la ve a pleno sol. Sale a las doce de la noche, se sube en el último capullo del Árbol de la Copa Morada y dice sus conjuros en voz alta con las fórmulas mágicas para hacer el mal y aterrorizar a la gente. Cuando termina de decirlos siente tanto odio que los ojos se le ponen rojos y la nariz se le infla como un pimiento. Después se va volando rumbo al pueblo, donde le quita la memoria a las personas, mata a los animales y destruye las cosechas...

—Por ahí se dicen cosas terribles, espantosas. Como esta que escuché a mi abuelo hace solo unos días: se dice que por las noches la Bruja Peor entra a las habitaciones cuando las personas duermen y les habla al oído y por ahí envía mensajes a sus cerebros para cambiarles la manera de pensar, los sentimientos y hasta qué les gusta a las gentes. Los hechiza y ya no vuelven a ser los mismos. ¡Pobrecitos!

—Dime, Golsuinda, ¿es cierto eso? ¿Tiene tanto poder la Bruja Peor? —preguntó Maruchi, como si no pudiera creer lo que el Atolondrado estaba contando.

—Es una tarántula que si te pica te hace forúnculos y te arranca la piel —dijo el Gran Atolondrado.

—Esculcadora escuálida, asquerosa y sucia; tarada y estúpida: Tarúpida —añadió Maruchi imitando el ritmo con que el Gran Atolondrado cantaba sus cancioncitas.

—Maruchi, de ella puede creerse todo porque es sencillamente perversa —le contestó Golsuinda.

Después de esta sarta de insultos y otros más que se nos ocurrieron contra la Bruja Peor, el Gran Atolondrado levantó los brazos y, como si estuviera haciendo una invocación, empezó a pronunciar palabras con las que expresaba un vivo deseo de que le viniera algún daño a tan malvada bruja:

Bruja traicionera, que a cebolla huela.
Mona bullanguera, que el alma se te muela.
Váyase usted sola, bien sola se vaya.
¡Solavaya!

—La Bruja Peor las compone en el aire, es muy lista —dijo Golsuinda, como si pensara en voz alta.

—Yo le quitaría la escoba para que no pueda volar. Esa bruja es una mujer malvada y fea que tiene poderes mágicos solo para hacer el mal, y puede volar gracias a su escoba —intervine yo, el Tragapalabras.

—Pues si por casualidad me topara con una de ellas algún día, seguro me atraparía y yo tendría que trabajar muy duro, fregar las enormes cazuelas, lavar su ropa mugrienta que huele a azufre, peinar su pelo de estopa, recortarle las uñas —dijo Maruchi mostrando desagrado.

—Y también tendrías que aguantar su pedorrea galopante aguda y las ruidosas pestilencias de la sobremesa después de tomar esa sopa podrida —la interrumpió el Atolondrado como para que recordara que hablábamos de la Bruja Peor. Y añadió—: Si una bruja no hiciera más su sopa verdosa, si de pronto se le cayeran todas las verrugas, si la piel se le volviera lisa, sin arrugas, si sus uñas dejaran de ser filosas y sucias, pero sobre todo si su pelo de estopa blanca se volviera natural y suave, la bruja ya no sería bruja sino una reina de belleza —agregó el Gran Atolondrado riéndose burlonamente.

Para concluir Maruchi declaró:

—Yo le gritaría bien fuerte, con todos mis pulmones «¡Fuera, bruja!», y tomaría mi caracol escarlata y se lo mostraría con firmeza. El caracol es mi *vade retro*, mi amuleto.

—Eso sí que es inteligente y efectivo; de seguro resulta —le contesté yo, el Tragapalabras. Y el Atolondrado cantó una de sus cancioncitas tontas:

Entonces
podremos ver
cómo la bruja
se vira toda,
toda al revés.

El tiempo había pasado sin que nos diéramos cuenta, y decidimos dejar la sombra del algarrobo para seguir la marcha. Golsuinda continuaba a la delantera y nosotros detrás de ella cantando el ensalmo y marchando como si siguiéramos el ritmo de un tambor. De cuando en cuando el Gran Atolondrado dejaba de decir el ensalmo contra las brujas para intercalar alguna de sus cancioncitas tontas:

Chivo chacotero de chaleco y chal
chupa chambelonas de azúcar y cristal.

Mientras pasábamos del ensalmo a la canción y de la canción al ensalmo, cambiábamos el compás del imaginario tambor por el de las palmadas, logrando una música movida y alegre que nos ayudaba a andar más rápidamente. Poco a poco nos íbamos internando en el Bosque de los Secretos, y los tres teníamos el temor de que en algún momento las brujas se nos aparecieran.

No sé si Golsuinda tenía miedo, pero nosotros sí lo sentíamos. Y mucho.

Se estaba haciendo de noche; habíamos caminado ya bastante. De pronto, Golsuinda detuvo sus pasos, se puso la mano en la oreja, ahuecándola para escuchar mejor, y nos dijo con toda seriedad: «Las brujas están a punto de volar».

No había terminado Golsuinda de hablar cuando, volando a la velocidad de un cohete y echando chispas por el extremo del palo de escoba, apareció en el cielo la bruja Constantinopla con su tropa.

Las brujas se reían con su cacle-cacle-cacle que tanto nos inquietaba, anunciando que estaban preparando algún golpe grande, pues era la víspera de la noche de San Juan, y se reunían en asamblea general para revisar sus éxitos y también para planear los futuros desastres.

En efecto, las brujas habían fijado su reunión allá en el claro del Bosque de los Secretos. Cada una tomó su escoba y comenzaron a barrer el firmamento, a regarle un polvito negro y fino para que no se vieran las estrellas. Y hasta lanzaron un buen poco de chapapote hacia la luna para que no enseñara su cara ni mucho menos pudiera verse su claridad.

Y después le dieron una pasadita de betún con una brocha gorda para tapar algún huequito, alguna rendija que hubiera quedado casualmente y por donde pudiera filtrarse la luz. Porque esa noche debía de ser oscura, muy oscura. Toda negra.

Nosotros estábamos llenos de curiosidad. Deseábamos ir hasta el claro del bosque para sorprenderlas en su reunión, pero Golsuinda no quería.

—Es peligroso, muy peligroso. Mejor voy sola y luego les cuento —nos dijo.

Pero no aceptamos bajo ningún concepto quedarnos allí, cruzados de brazos. Y cuando echó a andar, emprendimos la marcha detrás de ella.

Golsuinda iba abriendo los caminos y cerrándolos detrás de nosotros. Pero de pronto se detuvo y nos dijo, señalando con el dedo índice: «¡Miren para allá!».

Con la vista seguimos la dirección que nos indicaba Golsuinda y pudimos ver a La Pizzicata que pellizcaba a Pollo Sin Cabeza y lo amenazaba con su látigo mientras le decía: «¿Dónde está Golsuinda? ¿Quién la ayudó a escapar? Dímelo». Y él le respondía con su débil voz: «No sé nada». Entonces el látigo caía ¡ay!, una y otra vez en su lomo y sobre el cuello donde antes tuvo la cabeza.

Al ver y oír eso la cara de Golsuinda se contrajo. Nunca antes habíamos visto la transformación de una cara como aquella. Parecía como si todos los músculos de su cuerpo se hubieran puesto en tensión.

—¡Aquí estoy, bruja carúncula! ¡Voy a darte el castigo que mereces! —le gritó.

La bruja reconoció aquella voz inmediatamente. La cara se le puso morada de la ira y casi revienta por la cólera. Echando espumas por la boca y tizones encendidos por los ojos, le contestó con un grito agudo. Un chillido de guerra le salió de la garganta:

—¡Allá voooyyyyyy!

—Ven, bruja carúncula, ven —le contestó Golsuinda.

Pero algo ocurrió de pronto: Entre ellos no estaba ya Golsuinda sola, sino que las

Siete Lagartijas la acompañaban. Ella empuñaba sus lagartijas como si fueran espadas, y miraba con fiereza a la bruja que todavía hacía sonar su látigo en el aire, sin atreverse a tocar a Pollo Sin Cabeza. La bruja Pizzicata trató de escapar, pero Golsuinda le quitó la escoba, la levantó en peso y la lanzó hacia la Laguna de las Plantas Carnívoras, aunque no murió.

Entonces escuchamos el canto de la lechuza y después una voz fuerte y muy chillona. Al oírla, sabíamos ya a quién correspondía. En efecto, la Bruja Peor había aparecido. Volaba a muy poca altura. Aún en la oscuridad de la noche podíamos ver claramente su vestido plateado, su capa azul turquesa, el sombrero y las botas negras, pues como era joven y poderosa no andaba andrajosa como las otras, y su escoba más bien parecida a una espada con bigotes, estaba flamante.

Lo que más me llamó la atención fue su látigo largo, con un gran alcance. En la punta tenía una estrella filosa que cuando tocaba era capaz de desgarrar el músculo más fuerte.

Seguramente la Bruja Peor iba a tratar de confundirnos, como ya nos había advertido Golsuinda. Pero nos pusimos en guardia porque no estábamos dispuestos a dejarnos encantar, a que nos convirtiera en un animal cualquiera, en unas palomitas mansas o en una simple matica de lechuga.

Mientras, Golsuinda no perdía tiempo y le frotaba la cabeza a las lagartijas, de donde salía un olor extraño. El olor invadió el bosque y pronto llegó la respuesta: Montones de sapos verdes con manchas negras, enormes, llegaron a rodear a la brujita. Desde la distancia que nos separaba Golsuinda se veía tranquila, muy confiada. Solo sus ojos que chispeaban y sus manos llenas de lagartijas se movían con una rapidez extraordinaria. La brujita se inclinó ante aquel coro tan especial para hablarles. Los sapos salieron dando saltos hasta las yerbas altas, donde se perdieron de vista. Yo, el Traga-palabras, pensé que Golsuinda les había encomendado una importante misión, pues nos preparábamos para un gran combate.

7. La noche de los insectos

Las brujas reaccionaron cuando sintieron el olor que despedían las cabezas de las lagartijas. Cacle-cacle-cacle, pero ya no se reían. La Bruja Peor subió hasta lo más alto del Árbol de la Copa Morada. Cacle-cacle-cacle. ¡Cacle!, les dio una orden y las otras

brujas se elevaron también. Fueron a sen-
tarse en sus ramas que parecían brazos
abiertos como si les dieran la bienvenida.
Cacle-cacle, se saludaban. Mirando aquello,
Maruchi preguntó si ese era un árbol sagrado para ellas.

—No, para ellas lo sagrado no existe
—afirmó el Atolondrado.

—Ese árbol debe ser el mejor lugar para
su magia, un laboratorio para el mal —dije
yo.

Ya estaban reunidas las brujas. Ninguna
faltó a una reunión tan importante. Con sus
informantes se habían podido enterar que
en el pueblo la gente estaba muy descon-
tenta porque sus vidas habían cambiado ya
que todo se estaba dañando. Por eso ahora
tenían que cambiar las estrategias para sacar
a la gente del pueblo, ese lugar que ellas
tanto codiciaban.

«Sin lugar a dudas, la decisión de la Bruja
Peor de adueñarse de la fábrica de cara-

melos del pueblo había sido una idea genial, como todas las que a ella se le ocurren. Como ella es un genio del mal...» decían las brujas entre sí mientras alababan sin cesar a la Bruja Peor.

Eso nos lo había contado Golsuinda, pero aún nos quedaba la duda de si Teodobalda Petulancia era la Bruja Peor.

La reunión de las brujas del Bosque de los Secretos comenzó con un golpe de tambor que se escuchó por todo el Valle de los Estornudos, y llegó como un eco hasta el pueblo. Allí estaban La Liendrera, La Pizzicata y Constantinopla, cada una comandando su tropa. Para comenzar el aquelarre se frotaron debajo de los ojos con el fruto de la belladona para que sus miradas tuvieran un brillo y un destello especiales. También se frotaron los brazos, las manos y el cuello con un líquido verdoso y pusieron en sus axilas un poco del ungüento negro que hacía ligeros sus huesos para poder volar.

Las brujas tomaron sus pócimas abundantemente, luego agarraron sus escobas y comenzaron a volar en círculo alrededor de la copa del árbol, al compás de la música, para después bajar a tierra. Dirigidas por La Pizzicata ahora bailaban una danza extraña, con muchos movimientos y contorsiones, con la vista fija en el tronco del árbol donde habían amarrado un chivo grande, un enorme macho cabrío. La Liendrera se santiguaba; su cuerpo se movía de manera ondulante, y sus manos iban señalando al chivo como si fueran cintas al viento, y las demás la seguían. Así estuvieron bailando por largo rato.

Cuando la danza alcanzó su punto de mayor intensidad, el cuerpo de las brujas se fue transformando. Sus rostros eran la expresión de la más pura rabia, y con ella querían decir que eran capaces de desatar las más violentas furias. Sus miradas furibundas no solo eran airadas y coléricas, sino que clamaban venganza. Entonces la Bruja Peor chirrió, chilló, gritó, maulló y, por último, berreó como un chivo. Después, dirigiéndose a las brujas les dio la orden de iniciar el ataque:

«Cacle-cacle-cacle. ¡Vamos al pueblo!

A acabar con las plantas.

A quitarles la memoria a las gentes.

Que estornuden hasta que se revienten.

A destruirlo todo. ¡Cacle-cacle-cacle!».

El cuerpo de las brujas empezó a cambiar aunque no disminuyó su tamaño. De su tórax les salieron unas patas anteriores cortas y en su abdomen de pronto aparecieron las patas largas con las que saltaban. En la cabeza se les agrandaron los ojos y unas antenas finas les iban brotando. Por último, se les desarrollaron las alas. Con nuestros propios ojos estábamos mirando una transformación total, una completa metamorfosis: ¡Unas brujas se volvieron saltamontes; otras, escarabajos; otras, hormigas...! ¡Se habían transformado en insectos!

En cuanto completaron el cambio de sus cuerpos, los saltamontes comenzaron a cantar con sus sonidos tan fuertes y estridentes que nos lastimaban los oídos. Chirriaban sus chicharras internas y por la boca les salía un sonido parecido al del silbato de un tren cuando coge una curva o va a entrar a un túnel. Era mucho el estruendo que hacían mientras se desplazaban saltando, lo cual daba la impresión de un gran desorden y alboroto. Mas cuando volaban el ruido era aún mayor.

Los escarabajos tenían diferentes colores pero todos incandescentes, con grandes dibujos en sus alas. Sus aletas endurecidas y la forma de sus cuerpos los hacían parecer como acorazados, buques de guerra blindados y poderosos. Seguramente las brujas los habían escogido porque podían resistir las peores condiciones. Al igual que los saltamontes, los escarabajos andaban sin organización, sin orden.

Por el contrario, las hormigas camina-ban en perfecta formación, rápidamente y con la disciplina de un ejército. Pero sentían miedo... En efecto, las hormigas tenían miedo mientras caminaban por la tierra, pero ahora iban a dejar de sentirlo, pues comenzaban a salirles alas, y podrían volar como los saltamontes y los escarabajos. Tanto los saltamontes como los escarabajos y las hormigas inmediatamente empezaron a comerse la yerba, de tal manera que en el claro del bosque la tierra había quedado lisa en solo unos minutos.

Los insectos, cabezones, con ojos gran-des y conducta loca, se desplazaban por la tierra comiéndose todo lo que encontraban a su paso. Yo le comenté al Atolondrado que si seguían comiéndose la yerba a esa velocidad muy pronto quedaríamos al des-cubierto y las brujas, es decir los saltamontes, los escarabajos y las hormigas en que se habían transformado, vendrían por nosotros. Y es que las brujas querían producir un ataque de pánico en el pueblo. ¡Ese era su plan maestro! Mi preocupación se hizo mayor cuando el Atolondrado, como pensando en voz alta, nos dijo que aunque estos insectos en que se habían convertido las brujas no eran pequeños, no debíamos menospreciarlos ni aun en su tamaño natural, pues hasta los seres más insignificantes podían mostrar no solo fuerza, sino también fiereza.

Cuando la Bruja Peor voló hasta lo alto del Árbol de la Copa Morada para dirigir todas las operaciones, la situación se volvió extremadamente difícil pero a Golsuinda se le ocurrió una excelente idea: Tomó la escoba que le había quitado a La Pizzicata y vino volando hacia nosotros. Bajó, nos montamos en la escoba con ella y nos elevamos. Sin perder tiempo fuimos a recoger la carpa de las sombras, a Pollo Sin Cabeza y a Mireya la Zarigüeya con su zarigüeyita. Al regresar la carpa se abrió en el aire como un enorme paracaídas, y Golsuinda convirtió la escoba en un cómodo sofá para verlo todo más cómodamente. Aunque la noche era prácticamente negra de tan oscura y que además seguíamos corriendo peligro, ya no sentíamos miedo.

El plan de Golsuinda era hacer que los insectos nos siguieran hasta donde estaban las plantas carnívoras. Y efectivamente, en cuanto pudieron vernos los saltamontes, los escarabajos y las hormigas nos persiguieron hasta la laguna de las plantas devoradoras de insectos.

Llegamos a la laguna y fuimos a un árbol cercano en cuyas ramas amarramos la carpa de las sombras y nos acomodamos en el sofá. Desde allí podríamos verlo todo.

Como los insectos tenían el tamaño normal de las brujas, no podían volar a mucha altura, por lo que el olfato de las plantas carnívoras los detectó. Justamente cuando pasaban por encima de ellas, sus flores empezaron a soltar un vapor pegajoso que inmovilizaba sus alas. De esta manera, los insectos caían directamente en la boca de las flores.

Lo que vimos después fue una visión rápida: las plantas carnívoras atraparon a los insectos, que después de muertos primero se pusieron verdosos y después se volvieron amarillos. Solo La Pizzicata, La Liendrera y Constantinopla conservaron su color, no se sabe por qué.

Entonces Golsuinda silbó una tonada y aparecieron los sapos, a quienes ordenó que rastrearan los alrededores por si había quedado algún insecto. A los sapos les encantó la encomienda, y saltaban contentos mientras buscaban a los intrusos. Ya se sabe que los insectos son su plato favorito.

Cuando la batalla terminó bajamos del

árbol y fuimos a la laguna y pudimos ver que ya no era azul, sino que se había cambiado por el color amarillo del azufre. También reconocimos el olor de ese mineral, que salía desde el fondo mismo de las aguas.

El comodísimo sofá era el mejor de los palcos para contemplar aquel campo de batalla. Lo que veíamos era un paisaje diferente: el claro del bosque quedó completamente desolado, su suelo arrasado, los árboles con sus ramas mordisqueadas y sin hojas.

Como era de esperar, suponíamos que las brujas no podían haber sobrevivido. El plan de Golsuinda había triunfado. Las brujas estaban exterminadas.

Pero al instante escuchamos un ruidito agudo y peculiar, el graznido estridente que nos ponía los pelos de punta. Miramos hacia arriba y «cacle-cacle-cacle», ¡qué sorpresa! En el cielo que ya empezaba a clarear vimos lo que creímos una aparición. La Bruja Peor volaba montada en un gato negro que estiraba las patas y la cola, planeando en el aire como los aviones. Desde la altura a la que iban todavía podíamos reconocerlos; eran Teodobalda Petulancia y su gato Hércules Palurdo.

¡Menuda sorpresa! ¡Así, pues, la Bruja Peor era nada más y nada menos que Teodobalda Petulancia! Desde lo alto Teodobalda nos gritó: «¡Prepárense, porque volveré pronto y acabaré con todo!». Pero la brujita Golsuinda no se quedó atrás y, llamando a Pollo Sin Cabeza, se montó sobre su lomo y le dio una orden: «¡Andando! ¡Vamos tras la curuja pitarrosa esa!». Cuando oímos esa orden tomamos rápidamente la carpa de las sombras que ahora tenía la forma de un gran globo, le amarramos el sofá, nos sentamos y salimos volando.

Teníamos que alcanzar a Teodobalda Petulancia antes de que regara su polvillo de azufre sobre la fábrica de caramelos. Antes de que lanzara epidemias contra los jardines del parque. O que regara el polen para que los estornudos nos viraran al revés. O que convirtiera a la gente del pueblo en animalitos sin voluntad y sin cerebro. O llenos de miedo desde la cabeza hasta el dedo gordo del pie. ¡Teníamos que derrotarla! La pelea ahora sería en los espacios siderales.

Golsuinda y Pollo Sin Cabeza iban delante. Detrás, el Club de los Caracoles Escarlatas con Mireya la Zarigüeya y la zarigüeyita.

Ya podíamos ver el campanario de la iglesia, la torre de la escuela, los árboles de las calles, los techos de tejas rojizas de las casas envejecidas.

Yo, el Tragapalabras, grité a todo pulmón: «Se te acabó la fiesta, vieja perversa». Y todavía más alto: «Bruja curuja, pitañosa, lechuza inmunda».

En un abrir y cerrar de ojos Golsuinda le dio alcance a la bruja y, con solo tocarla, la

Bruja Peor y el gato Palurdo se desintegraron. No quedó ni el polvo de ellos. Supongo que se fueron al último confín de los espacios siderales.

Comenzaba a amanecer.

El club de los caracoles escarlatas (es decir, nosotros) estaba muy contento con esa voladita, como cuando empinábamos papalotes en la colina.

Y no tengo más nada que decir sino que nuestro aterrizaje fue espectacular.

8. Últimas noticias

Han pasado los años pero aún recuerdo que esa noche, la noche de San Juan en que se acabaron las brujas del Bosque de los Secretos, la gente salió de sus casas a hacer pequeñas fogatas en las calles. Golsuinda, Pollo Sin Cabeza y Mireya la Zarigüeya con su zarigüeyita fueron hasta la desembocadura del Río de las Velas Bermejas a pescar, pues allí había enormes bancos de peces, y trajeron sardinas que asaron para todos en las fogatas. El olor de la sardina asada nos invadió, dando paso al aroma de las flores y después al dulzor de las mieles con que se fabrican los "Caramelos Felices".

Nosotros, El club de los caracoles escarlatas, nos fuimos a estudiar fuera del pueblo, pero regresamos durante las vacaciones de verano. Con el caracol-amuleto colgado al cuello nos sentamos en el parque y después subimos a la colina donde hicimos el huerto, a empinar papalotes. Seguimos siendo amigos pero algo ha cambiado entre nosotros, y es que el Atolondrado y yo, el Tragapalabras, ambos estamos enamorados de Maruchi, y ella lo sabe. Pero no responde.

Maruchi se calla como cuando le prendíamos los cocuyos en la falda; hace silencio como cuando quiso echarse a volar.

Índice

Agradecimientos
a Vitalina Alfonso,
Ofelia Llenín y Marta Cabrera,
por sus lecturas productivas.

Made in the USA
Charleston, SC
30 May 2016

Gabriela